月魚

三浦しをん

角川文庫 13349

Originally published 2001 in Japan by
Kadokawa Shoten Publishing Co., Ltd.
This edition is published 2004 in Japan by
Kadokawa Shoten Publishing Co., Ltd.
with direct arrangement by
Boiled Eggs Ltd.

月魚

目次

水底の魚

一

その細い道の先に、オレンジ色の明かりが灯《とも》った。

古書店『無窮堂《むきゅうどう》』の外灯だ。瀬名垣太一《せながきたいち》は立ち止まり、煙草に火をつけた。夕闇が迫っている。道の両側は、都心からの距離を考えれば今どき珍しい、濃縮された闇を貯蔵する雑木林だ。街灯はあるが、それも木々に覆い隠されている。瀬名垣の訪れを予知したかのごとく、『無窮堂』の灯《あか》りは薄暗い道を淡い光で照らした。

霧の港で船を導く、灯台の灯火。

寄港の許しを請う合図のように、瀬名垣の口元の小さな赤い火が明滅した。

道は『無窮堂』に近づくにつれ、わずかずつだが細くなる。昼間にこの道を行くと遠近感が狂い、実際以上に目的地が遠く感じられるが、今日のような日没後には道幅など些細《ささい》なことだ。外灯を頼りに、ひたすら歩めばいい。『無窮堂』は南北に走る細い道の北の突き当たりにある。両側に感じていた雑木林の圧迫感が消え、足もとは砂利の感触になった。古書店の敷地の前を東西に走る農道のような砂利道だ。

店の入り口にかけられた木の看板が光輪の中に白く浮かび上がる。『古書無窮堂』という文字が、夜の色でしたためられている。

瀬名垣は砂利道を三歩で横断すると、ひんやりとした鉄の門扉に手をかけた。腹までの高さの小さな門は甲高い悲鳴のような音を立てたが、さしたる抵抗も見せずに開いた。

すでに店じまいの用意をしているのか、硝子《ガラス》張りの引き戸は閉ざされ、日よけの黒いカーテンが引かれていた。瀬名垣はカーテンの隙間から中を覗《のぞ》き込む。人の動く気配はない。だが、この時間ならまだ友人は、母屋に引っ込んではいないはずだ。店舗の奥にある書庫にいるだろうと見当をつけ、硝子戸を叩《たた》いた。

「おーい、真志喜《ましき》。開けてくれ」

硝子を震わせるほどの大声に、中で乱暴な足音がした。瀬名垣は煙草をくわえていることに気づき、慌てて短くなったそれをつまむ。かがんで足もとの飛び石でねじ消そうとしたとき、カーテンが開き、店内の明かりがこぼれた。

本田《ほんだ》真志喜が、かがんでいる瀬名垣を不機嫌そうに見下ろし、無言のままカーテンを閉めた。

「ちょっとちょっと。それはつれないんじゃないの？」

瀬名垣はまたもや両掌《りょうて》で硝子戸を叩き、情けない声を上げた。「真志喜ちゃーん、開けてくれよ。肉買ってきたぜ、肉」

再びカーテンが開き、硝子戸の鍵《かぎ》がはずされる。瀬名垣はようやく天の岩屋戸を引き開けた。

真志喜はいつもどおり、粋《いき》に和服を着こなしていた。葡萄茶《えびちゃ》の着流しに、黒の細帯。いつの時代の剣客かと思われる姿だが、色素の薄い彼に、その格好は似合っていた。

「煙草は吸うなと言ってるだろう」

切れ長の目が細められ、茶色の瞳《ひとみ》が不機嫌な色を宿す。瀬名垣はわざとらしく両手を挙げ、軽く降参の仕草をしてみせた。

「わかってるよ。ちゃんと消しただろ?」

そう言って、真志喜の白い額に落ちかかる淡い色の髪に触れる。「いつもながら、俺の健康を気遣ってくれちゃって」

「馬鹿か」

真志喜は氷ですらもう少し温かいだろうと思わせる絶対零度のそっけなさで首を一振りした。瀬名垣の手から髪はするりと逃げる。

「おまえがどこでどれだけ煙草を吸おうと、私の知ったことか。だがこの家で吸われるのは辛抱ならないというだけだ」

言うだけ言って、真志喜は天井まである書架の間を、店の奥へと入っていく。店内は照明こそまだついていたが、火の気が失《う》せて肌寒い。瀬名垣は着ていた黒いコートはそのままに、真志喜の後について中に入った。

真志喜はきちんと履き物をそろえて、土間から番台に上がった。座布団の脇に置いてあった黒い綿入れを手に取る。華奢《きゃしゃ》な彼が綿入れを羽織ると、取っつきにくさがいくらか消えて、学生時代と変わらない無防備さが際立った。瀬名垣も靴を脱いで番台に上がり込む。真志喜は嫌そうな顔で、自分よりいくぶん上にある瀬名垣の顔を見た。

「また夕飯食ってくつもりか」

「今日はちゃんと肉持って来たって」

瀬名垣は無造作に片手にぶらさげていた小さな紙包みをかざしてみせる。

「ますます嫌だな。おまえが手土産を持ってくるのは、何か厄介な頼みがあるときだ」

肩をすくめ、真志喜は番台の奥にかかっている紺の暖簾《のれん》をかきわけた。「明日、吸い殻ちゃんと拾えよ」

「へえ、泊まっていっていいんだ」

茶化すような瀬名垣の言葉に、細い真志喜の首筋がうっすらと桜色に染まった。

暖簾の奥は書庫になっていた。八畳ほどの部屋には、書棚から溢《あふ》れた本が床にまでうずたかく積み上げられている。客から買い取ってまだ店に出さぬもの、市場《いちば》に持っていくために縛ってあるもの、目録に掲載するもの、さまざまに整理し仕分けする、いわば真志喜の仕事部屋だ。板張りの床が冷たい。足の裏を交互に踏みこすりながら、瀬名垣は本の山を眺める。

「どうだ、なんかいいもん入ったか」

「まあまあかな。鮎沢《あゆざわ》の全集が入った」

「戦中の？」

「いや、投影社《とうえいしゃ》から出た戦後の版だ。極美本だよ」

見るか、と問う真志喜は嬉《うれ》しそうだ。瀬名垣は微笑んでうなずいた。真志喜はいそいそと本の山を掘り返し、パラフィン紙で一冊ずつ丁寧にカバーがかけられた函入《はこい》り十三巻の全集を運び出してくる。

二人は床に置かれた全集の前にしゃがみ込んだ。

「これはすごいな。カバーはおまえが？」

パラフィン紙は半透明の薄い紙で、これで本にカバーをかければ、日光による焼けや煙草のヤニの付着をある程度は防げる。

「いや、持ち主の方だよ」

愛《いと》おしそうに本に触れる真志喜のほっそりとした指先を見ながら、瀬名垣は中の一冊を手に取る。

「ただ飾るために買ったんじゃないな。ちゃんと読んである。だが、綺麗《きれい》なもんだ」

その本が読まれたか否かは、開いたときのページの微妙な抵抗感でわかる。瀬名垣の手の中で、ページは柔らかく開かれた。だが決して傷んではいない。瀬名垣は感嘆した。

「たしかにいい状態だ。これほどのものはあまり出ない」

真志喜は口元にほのかな笑みを浮かべた。瀬名垣には決して向けない優しい視線が、真志喜の手元の本にそそがれている。瀬名垣は注意深く函に戻した本を、真志喜に返した。

「市《いち》には出ていなかっただろう。買い取りか」

「ご近所の田辺《たなべ》さんだ」

真志喜は元通り、日の当たらぬ書棚の陰に全集を戻した。「これは亡くなったお嬢さんが大事にしていたものだそうだ。でも先日私をお宅に呼んで、『もう自分たち夫婦も老い先が短い。この本がどんな人の手元に渡るのか見届けないと、死ぬに死ねない』とおっしゃった」

「おまえの仕事ぶりが認められたということだな」

真志喜は首を振った。

「私など、祖父に比べればまだまだだ」

瀬名垣は笑って立ち上がる。

「そりゃあ、古書界にその人ありと謳《うた》われた本田翁《おう》に比べたら、俺たちはヒヨッコどころかまだ玉子さ」

真志喜は二十四、瀬名垣も二十五だ。十年丁稚《でっち》奉公をしてようやく独り立ちして店を開

ける と言われるこの業界で、二人は若すぎるほどだ。古本業は、本を買い取る基準も、それを売る値段の基準も、それぞれの店主の価値観と力量に委《ゆだ》ねられている。日々、研鑽《けんさん》を積まなければ、アッという間に客に足もとを掬《すく》われ、同業者の笑いものにもなる。客も店も一歩間違えれば、古書の魅力に取りつかれ、蒐集《しゅうしゅう》という妙《たえ》なる美酒に群がる餓鬼に変わる。自分の目をもって本に対峙《たいじ》しなければ、いたずらに他店の価格の基準に惑わされ、損をすることにもなりかねない。そんな魑魅魍魎《ちみもうりょう》が跋扈《ばっこ》する古本業界の中で、彼らは今日までなんとか生き延びてきた。

「じゃあ、この全集は市には出さないんだな」

「目録販売にするよ。そうすれば、誰の手に渡ったか田辺さんに報告できる」

「買い手を教えるのはルール違反だぜ」

真志喜はちょっと瀬名垣をにらんだ。

「ルール無用の買い付けをしているおまえに言われたくない」

「まあひどい。俺はいつだって適正価格で買い取ってるのに」

瀬名垣の芝居がかった嘆きを無視し、真志喜はさっさと奥に進んだ。

「今夜は鍋《なべ》にする。菜園で好きな菜っぱを取ってこい」

祖父の代からこの地で古本屋を営む真志喜の家は、都心からやや離れているとはいえ、だれもがうらやむ広大な敷地を有していた。

東北地方には曲がり家という伝統的な民家がある。母屋と馬屋が直角になるように建てられていて、しかも二つの家屋はつながっている。馬を大切にし、共に寝起きした人々の愛情が伝わる家屋だ。

真志喜の家は馬こそいないが、曲がり家の様式を踏襲している。たぶん本と共に生活し、これを愛して一生を終えた祖父の発案で建てられた家だからだろう。

農道のほうに突き出すようにして、南北に長方形の店舗部分が張り出している。先ほど瀬名垣の上がり込んだ店と、それに続く書庫だ。母屋は東西に長く据えられた長方形で、つまり母屋の西端三分の一の部分から、南に向かって直角に店舗が突き出ているのだった。

書庫を抜けると、左手に手洗い、台所、風呂《ふろ》が順に並んでいる。これはもう母屋で、一番西端の壁に沿っていることになる。廊下は右に折れ、書庫からは直角の向きに当たる東へと延びている。暗い前庭が向かって右手の縁側の硝子越しに見えた。

真志喜が菜園と言ったのは、この前庭だ。南向きの日当たりのいい庭で、真志喜は野菜を育てている。たまに気が向いたときに雑草を抜いて手入れするぐらいなのに、日光と適度な水やりのおかげで、菜園はいつも必要以上の密度を誇示していた。今は冬でさすがに少々寂しいが、葉物が少し生えているらしい。

店舗部分から母屋の廊下に入ってすぐのところに、居間がある。そこから順に東に向かって、寝室、一応客間にしている洋間、そしてここも書庫になってしまっている三畳の書生部屋があった。一番東は、母屋の玄関だ。この石畳の立派な玄関を、瀬名垣は使ったことがない。いつだって彼は、店のほうからこの家に上がり込む。家の主たる真志喜ですらも、めったに玄関から出入りすることはなかった。

廊下に面した居間の障子を開け、真志喜はストーブに火を入れた。灯油のにおいがどこか心地よく暖かく部屋に広がる。居間の真ん中にある炬燵《こたつ》のスイッチを入れながら、真志喜は廊下にぼんやりと佇《たたず》む瀬名垣を振り返った。

「菜っぱを取ってこいって」

瀬名垣の手から肉の入った紙包みを取り、真志喜は障子を閉めて暗い台所に立った。台所の小さな蛍光灯をつける。寿命がきているのか、うるさく点滅する光の下、真志喜は紙包みの紐《ひも》をほどき、中を覗いて子どものように笑った。

「鶏肉じゃないか」

「魚もあるぜ」

「魚の身だって肉には違いないけど」

やれやれと首を振る。なんだかんだと言っても、真志喜は楽しそうだ。瀬名垣は肩でひそかに笑いながら、縁側に面した廊下の硝子戸を開ける。外はすっかり暗くなり、冷たい風が吹き寄せた。庭に下り立っても、店の外灯の明かりはここまでは届かない。

母屋と店舗が交わる直角部分には、巨木がそびえていた。梢《こずえ》は平屋の屋根をとうに越えている。その木は冬でも厚いつやつやとした緑の葉を繁《しげ》らせていた。今は風にあおられる木の葉の一枚一枚が重なり合い、恐ろしいほどのざわめきを闇にまき散らしている。草木に関心のない瀬名垣は、木の名を真志喜に尋ねたこともなかった。

居間からのわずかな明かりを頼りに、木の下に広がる菜園から適当に菜っぱを引き抜いた。ふと、この菜園で草取りをする幼い日の真志喜の姿が思い起こされる。Tシャツの襟元からのぞく、はりのあるしなやかな首筋。日差しに照らされてわずかに紅潮した頰。真志喜は額を伝った汗をぬぐい、瀬名垣に真っ赤に熟れたトマトを差し出した。

「そうか、あれが俺の禁断の果実だったというわけか」

瀬名垣はつぶやきながら身を起こし、片手につかんだ菜っぱの泥を払った。「この葉っぱでいいのか、真志喜」

廊下に身を乗り出し、貧相な草を明かりにかざす。振り返った真志喜は、軽く肩をすくめてみせた。

「さあ、それは食ったことないな。雑草だと思うけど、試してみるか」

瀬名垣はため息をついて、再び暗い庭に戻った。

ようやくコートを脱いで炬燵に入り、しわぶきを上げはじめた電熱器を眺める。ニクロム線は熱を宿して赤く光り、瀬名垣の頬を火照《ほて》らせる。腕を伸ばしてストーブの温度調節を低くしたところで、鍋を手にした真志喜が居間に入ってきた。

真志喜は瀬名垣の黒いセーターからのぞく仏像の柄のシャツに目ざとく気づいた。顔をしかめ、鍋を電熱器に載せる。

「やめろよ、また妙な柄のシャツを着て」

「いいだろ？　梅原《うめはら》のじいさまがとげぬき地蔵の土産にくれた」

すばらしくキッチュな柄だろう、と自慢する瀬名垣に、真志喜は肩をすくめた。

「『お年寄りの原宿』で好みの服が見つかる二十代は、瀬名垣ぐらいだろうな」

「トゲ抜いてもらったほうがいいぞ、真志喜」

瀬名垣は立ち上がり、勝手に台所の冷蔵庫から缶ビールを持ってくる。「だいたい真志喜こそ、店にいるときはいつも着流しのくせに」

真志喜はそれを無視し、さっさと鍋の具を小椀《こわん》に取り分けて、「いただきます」と食べはじめる。瀬名垣も缶を一本真志喜に渡し、慌てて炬燵に入り鍋をつついた。

「梅原さんはお元気なのか？」

「殺しても死なねえよ、あれは。真志喜に会いたいって、今日もうるさかったぜ」

瀬名垣はビールをあおると、正面から真志喜を見据えた。「先週の神田の市に顔出してないだろ？　どうしたんだ？」

「どうもしないよ。目録も追い込みに入ってきたから、ここのところ集中して書いてたんだ。お客もけっこう多くてね。行きそびれた」

瀬名垣は缶ビールを卓に置いた。真志喜は椀に取った白身魚から小骨を取り除こうとしていたが、ふと静かになった瀬名垣に気づき、顔を上げた。

「どうした、怖い顔して」

笑いかけようとして、失敗した。瀬名垣は真剣な目をしていた。

「なあ、真志喜。おまえは本を愛しすぎる」

「なに言ってる。古本屋が本を愛するのは当然だ」

「だが、因果なもんでこの商売、愛してる本を売りさばくのがさだめだ」

瀬名垣は汁をすすり、あらたに鍋から具をよそった。「本に心を移しすぎたら駄目だ。本は商品だ。情は排して、できるだけ冷静に価値を見極める。それが俺たちの仕事だろ。そしてそれが結局は、本の価値を高め、その本を俺たち古本屋に売ってくれた客のためにもなる」

「私が情に流されていると？」

「……いや、そこまでは言ってない。ただ、本に染みついた『思い』に囚《とら》われるなと言ってるんだ」

真志喜は椀を置き、ビールで喉《のど》をしめらせた。

「私は精一杯やりたいだけだ。いい本も入ったし、目録を充実させたいと思った。でも来週はちゃんと市《いち》にも行くよ。それでいいか？」

瀬名垣は納得していない様子で頷《うなず》いた。

「よけいなこと言ったな。ただ、俺は不安なんだよ。さっきの全集にしてもそうだ。おまえは本と、それを大切にしていた人の思いを大事にする。でもそれは決しておまえのものにはならねえんだ。本は商売道具だ。俺たちを通り抜けていくだけだからな」

ようやく真志喜は、うっすらと笑ってみせた。

「私が『報われない恋』に身を滅ぼすような人間に見えるか？」

「わからねえよ。もしかしたらそんなことになるかもしれんだろ」

「それはおまえだろう、瀬名垣」

真志喜の唇に浮かんだ笑みが深くなった。瀬名垣は、真志喜の色素の薄い瞳に魅入られたようになり、ビールが掌《てのひら》でぬくもっていくのも忘れた。

遠い夏の日の太陽がよみがえる。太陽は熟したトマトのように赤く、膿《う》んだ汁をたれ流していた。

瀬名垣の父親は、いわゆる『せどり屋』だった。古本屋で十把一絡《じっぱひとから》げで売っている本の中から、少しでも価値のありそうなものを買い、その分野を専門で扱う別の古本屋に売り飛ばす。また、廃棄場に忍び込み、まだ店頭に並べられる本を掘り起こし、何食わぬ顔をして古本屋に売りに行く。その微々たる上がりで生活するのだ。もちろんある程度の古本の知識は必要だが、だいたいは元締めがいて、その男の言うとおりに動くだけだ。当然、古本屋はそういうお客からは本を買い取りたくない。しかし一応客なのだから、無下にすることもできない。ゴミを漁《あさ》り、後ろ暗い経路で手に入れた本を売る輩《やから》、と業界でいい顔はされなかった。

瀬名垣の父親も、かぎりなく浮浪者に近いヤクザ者と見なされる男だった。

しかし彼の偉いところは、ゴミの山から拾ってきた本に、いつしか本気で興味を持ちはじめたことだった。幼かった瀬名垣を連れて各地を転々とした後、父親はついに最大の古《ふる》本市場《ほんしじょう》を持つ東京に落ち着くことにした。瀬名垣が十歳の時のことだ。その頃には、父親は拾った様々な本を、古本屋に売り飛ばす前にひととおり自分で読むようになっていた。学のなかった父親が、どうして本を読んでみようと思い立ったのか、瀬名垣は知らない。せどり屋仲間で本を読むものなど誰一人としていなかったから、瀬名垣は父親を不思議に思った。だが、酒は飲むけれど、瀬名垣を殴るわけでもなく、親らしい最低限のことはしようと心を砕いているらしい父親を、彼は決して嫌ってはいなかった。

嫌うどころか、拾ってきた本を夜遅くまで大事に読んでいる姿をむしろ愛していたが、古本屋は彼の父親を嫌った。狭い業界のこと、新顔はすぐに知れ渡る。新たなせどり屋が東京にやってきて、わずかな利鞘《りざや》のために本をただの『品物』扱いする、と苦い顔をした。

そんな中で、『無窮堂』のご隠居、本田翁は少しちがった。古本業界に半世紀身を置き、その目利きぶりと誠実さを周囲に認められた老人だ。彼はクズ本を売りにくる瀬名垣の父親に、他のせどり屋とは異なる『におい』を嗅《か》ぎつけた。それは、本を愛するという気持ちだったのかもしれない。

瀬名垣の父親は、本田翁に徐々に目をかけられるようになった。なかばヤクザ者を古本屋が取り立てるのは、異例のことだ。古書売買にはつねに、万引きなどの犯罪行為によって市場《しじょう》に出た本を取引する可能性が潜在する。だから古書店はみな、警察の管理・監視下に置かれている。ヤクザ者とまったく縁を切ることはできないが、なるべく身を遠ざけておきたいというのが、古書店店主の率直な思いだ。それが、『無窮堂』ほどの老舗《しにせ》が、一介のせどり屋に入れ込む。評判は瞬く間に業界に広がり、悪意ある憶測やしたり顔の忠告が本田翁の周辺に渦巻いた。

本田翁は気にしなかった。瀬名垣の父親に、そんなに本が好きならもっと勉強して、一人前の古本屋になれと諭した。父親は翁の人柄に敬服し、教えを請うために足繁《あししげ》く『無窮堂』に通った。瀬名垣も父に付いて、広大な敷地に建つ古本屋によく遊びに行った。彼も本が好きだった。その埃《ほこり》っぽい独特の匂いに包まれていると安心できた。だが、学校の友人たちとの放課後の探検ごっこやキャッチボールを断ってまで、彼が『無窮堂』に赴く一番の理由。それは、もちろん本ではなかった。

初めて『無窮堂』を訪れた夏の日。大木の陰にしゃがみ込んで、その少年は無心に草むしりをしていた。透明な汗をぬぐい、店先から自分をうかがう瀬名垣に気づく。少年は見知らぬ闖入者《ちんにゅうしゃ》にはにかんだ笑みを向け、傍らの真っ赤に熟したトマトをもいで差し出した。

瀬名垣は年齢のわりには世間を知り、それまで何事にもきわめて現実的に対処してきた。少年らしい夢を見るとか、そういったこととは無縁だった。いずれは父親と同じように、クズ本の山から辛うじて息をしている本を抜き出し、入手経路をつまびらかにできない品を売りさばいて生きるのだろうと思っていた。

瀬名垣は土に汚れた白い指先を見、その指が支える皮の薄くなった爛熟《らんじゅく》したトマトを見、そして少女とみまごうばかりの少年の顔を見た。

日に透ける茶色い髪の毛が風に揺れ、切れ長の目が伏せられた。睫毛《まつげ》がなめらかな頬に灰色の影を落とす。

「食べる？　腐りかけだけど」

薄い唇から八重歯がのぞき、少年はぶっきらぼうな口調で言った。

瀬名垣は生まれて初めて、なにかに魂を奪われるという感覚を知った。

いずれは『無窮堂』の三代目になるはずの少年。自分より一つ年下の本田真志喜に、瀬名垣太一はちょっかいを出さずにはいられなくなったのだ。

「考えてみれば、腐ったもんを俺に押しつけただけじゃねえか」

瀬名垣はぼやき、ビールの空き缶についだ焼酎《しょうちゅう》をちびちびと舐《な》めた。鍋と酒のせいで体は温まり、さすがにストーブは切った。炬燵から這《は》い出て北側の障子を開けると、裏庭の池が月を映して銀色に輝いていた。

風呂場《ふろば》をがたがたやっていた真志喜が戻ってくる。

「沸いたからさっさと入れ」

相変わらずそっけない彼は、卓の上に今やそれだけ残されたビールの缶を手に取り、顔をしかめた。「コップを出せばいいだろ。変な飲み方するな」

「適度にアルコールを摂取できれば、味はどうでもいい」

「どうでもいいって、私の酒じゃないか。もったいない飲み方はやめろと言ってるのに」

真志喜は肩をすくめ、瀬名垣を風呂場に追いやった。「心臓麻痺《まひ》おこすなよ」

風呂場も北の裏庭に面している。おかしなもので、この家は裏庭が豪華な日本庭園になっていた。手入れが滞りがちなために、いまや「野趣あふれる」という形容しかできない代物だ。月に照らされ、池と、枝を伸ばした木々の生い茂る築山《つきやま》が、影の濃淡で幽玄の世界を現出させる。ご丁寧に鬼門に当たる北東に、古びた木の門まである。寺院の山門のように二階がついているが、すでに傾き朽ち果てつつある。あまりのおんぼろぶりに、真志喜はその門を「羅生門《らしようもん》」と呼んでいるほどだった。風がうなりを上げて通り抜けた。冥界《めいかい》からの客がいまにも羅生門をくぐりぬけてきそうで、瀬名垣は顎《あご》まで湯につかりながら笑った。

(来るなら来いよ。受けて立つぜ。あの世だろうとどこだろうと、あんたの居場所がはっきりすれば、こっちも戦いようがあるってものだ)

羅生門は、もっぱら車の出入りに使われている。屋敷の北辺を、辛うじて車の通れる道が走っているのだ。幹線道路への抜け道になっていることもあり、幅のわりには行き来の多い道でもある。その無粋な排気音も、屋敷のぐるりを取り囲む木々のおかげか、家までは届かない。池の横に停められた、おんぼろの白の軽トラックが月明かりを弾《はじ》いている。トラックは江戸の町に突如出現したかのように、周囲の風景から浮き上がっていた。

買い付けに使われる真志喜の愛車を見ているうちに、瀬名垣は今夜の訪問の目的をようやく思い出した。鼻歌を歌いながら、広々とした石造りの湯船から上がる。

風呂から出ると、炬燵に入った真志喜が障子を開けて裏庭を眺めていた。先ほどまでの瀬名垣と同じように、門のあたりをぼんやりと見つめている。手元にはガラスのコップがあった。

「寝間着ありがとな」

真志喜は瀬名垣の言葉にゆるゆると室内に視線を戻した。

「湯冷めする。これを着とけ」

用意してあった丹前を放り投げる。瀬名垣はそれを着込み、炬燵に入った。

「冬の月ってのは寒々しくてよくねえな」

「風情があるというんだ」

真志喜は笑い、畳に置いていた焼酎の瓶を炬燵に上げる。瀬名垣は真志喜の手から瓶を奪い、コップに少しだけつぎたしてやった。

「おまえは好き放題飲んで、私はこれだけ？」

不満そうな真志喜をいなし、瓶を持ったまま台所に立つ。焼酎を棚にしまうと、瀬名垣は黙々と洗い物を始めた。やがて障子の開く音がして、背後から真志喜の腕が伸びる。流しにコップを置いて奥の風呂場に入っていく彼の首筋は、ほんのりと上気している。

「溺《おぼ》れんなよ」

先ほどの仕返しとばかりに声をかけた。

瀬名垣はまた缶についであった焼酎に戻り、炬燵から手をのばして寝室との境の襖《ふすま》を開けた。布団が二組、真志喜によってすでに敷かれていた。缶を片手に八畳の寝室に移動し、裏庭側の布団にもぐり込む。腹這いになって少しずつ缶を傾けていると、居間とのしきりの襖が開いた。

二組の布団が寄り添うように縁を重ねているのを見て、真志喜はひくりと眉《まゆ》を上げた。

襖を音高く後ろ手で閉めると、空いているほうの布団を瀬名垣の布団から引き離す。

「何を考えてるんだ、あんたは」

油断も隙もない、と真志喜は憤然としながら布団に入り、瀬名垣に背を向けた。瀬名垣は喉で笑い、布団から腕を伸ばして裏庭に面した障子を開ける。冴《さ》えた月光は、澄み渡った銀色の触手で部屋を一撫《ひとな》でし、部屋の温度をますます下げた。硝子戸と障子の間にある細い縁側が、濡《ぬ》れたように光っていた。池の水面《みなも》は、水銀を湛《たた》えているのかと思われるほど重く、さざ波一つ立たない。

裏庭と瀬名垣に背を向ける形で横たわっていた真志喜が、ちらと肩越しに様子をうかがった。

「私に何か用があって来たんだろう」

「用がなきゃ、来ちゃいけないのか」

「用がなければ来ないくせに」

瀬名垣に頑《かたく》なに背を向けたまま、真志喜はつぶやく。瀬名垣は空になった缶を放し、もぞもぞと寝返りを打って仰《あお》向《む》けになった。月のせいで白々と明るい天井をじっと見つめ、そのまま腕だけ伸ばして障子を閉める。木の桟のぶつかる乾いた音が、思いがけず響いた。

「手伝ってもらいたいんだ」

「買い付けか」

「そうだ」

真志喜はため息をついて、ようやく瀬名垣のほうに身体を向けた。

「どこ」

「M県の山奥だよ」

「いつ？」

真志喜は小さな子どもみたいに鼻先まで布団をかぶり、不機嫌そうに瀬名垣に問う。

「来週がいい。真志喜の都合さえよかったら」

真志喜はしばらく宙をにらんで思案していたが、やがて頷いた。

「いいよ。目録のほうはなんとかなると思う。でも私を誘うからには、いいものが出る自信があるのだろうな」

「もちろん」

と、瀬名垣はややひるみつつ答えた。「村の旧家らしいから、何かしらあるだろう。目録に載せるのにちょうどいいものがあったら、おまえが持っていっていいからさ」

「まあ期待せずにいるよ」

額まで布団を引き上げた真志喜のくぐもった声は、すぐに心地よさそうな寝息に変わった。

瀬名垣は眠られず、しばらく庭の気配を聞くともなしに追っていた。池の水面が重く持ち上がる音がした。どうやら、滅多に姿を見せない池の主《ぬし》の大鯉《おおごい》が、月に誘われて跳ね上がったようだ。

「幸先《さいさき》のいいことだ」

瀬名垣のつぶやきまでもが月光に漂白され、部屋を寄る辺なく彷徨《さまよ》う。ふと気づいて、隣で眠る真志喜の掛け布団を、いつもどおり顔の上からどけてやった。布団の中で苦しそうな表情をしていた真志喜は、なんの隔たりもなく酸素にありつけて、ふたたび穏やかな呼吸を再開する。

「変なやつ。苦しくなるならそんなに布団をかぶるなよ」

そのまま頰を軽くつまむと、真志喜はうなる。瀬名垣は微笑んだ。そして目を閉じる。この家にいて穏やかな眠りなど、瀬名垣に訪れるはずはないのだが。


冷たく湿った鉄の門扉は、かすかに血のにおいを立ちのぼらせる。朝靄《あさもや》は雑木林の奥へとひそやかに退きつつあった。真志喜は新聞受けから、新しいインクの香りのする紙を取り出した。

「本当に朝飯を食べていかないのか？　すぐにできるが」

「いいんだ」

と言って、瀬名垣は門を開けた。門から一歩外へ出ると、すぐに靄が柔らかく足もとを包み込んだ。

真志喜は新聞紙を片手に、傍らの支柱に身を預けた。寝起きのまだぼんやりした頭で、白濁の中に出ていく男を眺める。いったんは道の奥に淡く溶けていくかに思えた輪郭が、ふいにまた形を取り戻した。農道を渡ろうとしていた瀬名垣が、しきりに西のほうを気にしながら門のところまで戻ってくる。

「秀郎《ひでお》が来る」

瀬名垣は気まずげに、農道を背にして所在なく佇んだ。真志喜はしばし瀬名垣を見上げていたが、やがて唇にからかいの笑みを浮かべた。

「帰るって言ったんだから帰れよ」

「どうしてそう意地悪なんだ」

瀬名垣は忌々しげにつぶやくと、身をかがめて門の上に腕をかけた。真志喜を下から覗き込むようにする。

「じゃあ、真志喜にも一緒に秀郎の餌食《えじき》になってもらおう」

「やめろよ、瀬名垣。はやくあっちに行け……」

その時にはすでに、外山《とやま》秀郎は門の前を通り過ぎようとしていた。靄の中に人影を認めていた彼は足を止める。

「誰かと思ったら瀬名垣か。朝帰りかい」

瀬名垣は腕を門に預けたまま、顎を引くようにして思わせぶりに振り返った。

「邪魔すんなよ、秀郎」

そう言われれば、もちろん秀郎は近づいてくる。瀬名垣の言葉に挑発を感じて、真志喜は持っていた新聞紙で瀬名垣の頭を軽くはたいた。秀郎は何食わぬ顔で瀬名垣の横に並ぶと、真志喜にはきちんと朝の挨拶《あいさつ》をした。

秀郎の、何を考えているのかわからない飄々《ひょうひょう》とした態度は高校の時から変わらない。秀郎は『無窮堂』の常連で、授業中はもとより、体育祭でも文化祭でも常に我関せずとばかりに一人で本を読んでいた。当時は髪の毛が真っ赤だったが、今ではその名残はうかがえない。髪はきっちり撫でつけられ、背広は皺《しわ》一つなく整えられている。それに地味なネクタイを締め、黒縁の眼鏡をかける。彼は今や、市役所の職員を完璧《かんぺき》に演じることに楽しみを見いだしているようだった。

「相変わらず君たちはうさんくさいねえ」

秀郎は笑った。門を挟んで向き合っている瀬名垣と真志喜の姿を眺め、肩をすくめてみせる。

「いつまで親友ごっこしてるんだい」

「親友ごっこ？」

瀬名垣は秀郎に向き直った。「そんなことはしてないぜ。買い付けの相談をしてただけ

せた。

「それに私たちは『親友』じゃない」

と真志喜が冷静な声で指摘した。瀬名垣は反論しようとし、秀郎はあっさりと頷いてみ
せた。

「だから僕は、『ごっこ』って言っただろ」

なるほどね、と真志喜は拍子抜けするほど素直に感心してみせ、さっさと踵《きびす》を返して門
から離れた。新聞であくびを優雅に覆い隠す。

「じゃあな、瀬名垣。私はおまえのいびきのせいで眠くてたまらないよ」

「嘘つけ」

瀬名垣は毒づいた。傍らの空気が動く。農道に視線を戻すと、すでに秀郎の背中は靄に
飲み込まれていた。

二

『無窮堂《むきゅうどう》』の番台に座り、真志喜《ましき》は先ほどから一心に鉛筆を走らせていた。

書庫にある本を思い浮かべながら、目録に掲載する順番をああでもないこうでもないと吟味する。

古本屋の販売経路は、大きく分けて三つだ。一つは、店に来るお客に売るふつうの店頭販売。もう一つは、古本業者だけが出入りできる市《いち》に出して競りにかける卸《おろし》販売。最後が、店で目録を作って顧客や図書館などに配り、注文を募るいわゆる通信販売だ。『無窮堂』は年に四回、目録を発行していた。目録はその店や店主の趣味を色濃く反映する。真志喜も毎回力を入れて目録を作り、お客に楽しんでもらい、『無窮堂』の古本屋としての個性を打ち出そうと心を砕いていた。今回の目録の特集は、「幻想文学と民俗学」だった。その特集に沿うような本を、市や客からの買い入れで仕入れ、系統立てて目録に掲載する。特集を決めてからこつこつと集めてきた本が、書庫で目録ができあがるのを待っていた。

店内には客は誰もいない。朝の早い時間に常連が何人か顔を出し、棚をひやかしていった。その後は、なんとも静かなものだ。真志喜が原稿用紙に走らせる鉛筆の音だけが書架の間に響く。ときどき、前の農道をトラクターがのんびりと通り過ぎる。奥の番台に座った真志喜と目が合うと、トラクターに乗った男は愛想よく会釈した。

座りづめで背筋が痛くなり、真志喜は思い切り伸びをした。番台から下りて、ゴム草履を履く。今日も着流し姿だったが、真志喜には案外と杜撰《ずさん》なところがある。下駄《げた》などを履くのを面倒がって、店内はゴム草履でペタペタと歩くことが多かった。

棚の本を少し入れ替えたりしながら、真志喜は小さく笑った。瀬名垣《せながき》は真志喜がゴム草履を履くのをいやがった。

「せっかく着流しを着るなら、足もとまでビシッと決めろや」

店の外で煙草をふかしながら、彼は言ったものだ。瀬名垣はいつだって、柄は派手でも細部まで気を遣ってしゃれこんでいる。真志喜は戸口から流れてくる煙を手で払いながら、

「べつに履ければなんでもいいんだ」

と、そっけなく答えた。

瀬名垣はその後、白木の下駄をくれた。真志喜は市に行く時や、古本屋の会合の時は、ゴム草履でなくそれを履いていくようにした。着流し姿は、真志喜の精一杯の虚勢だ。どうしたって、同業者や客は真志喜の若さを侮る。侮るだけならまだいいが、経験の浅い若僧がちゃんと本を評価できるのか、と不安に思う。だからせめて見かけだけでも「それらしい」ように、真志喜はできるだけ和服を着るように心がけていた。客に不安を与えるよ

うでは、商売人として失格だろうと思ったからだ。

真志喜は表を見やった。店先でしゃがみ込んで煙草を吸う、瀬名垣の姿がふと浮かぶ。瀬名垣は律儀にも、この家の中で煙草を吸わない。だがどうしても我慢できなくなるときがあるのか、店番をしている真志喜を眺めながら、店先で吸うことがある。いい年をしてたむろする高校生のようにしゃがみ込み、瀬名垣はぼんやりと煙草を吸うのだ。真志喜は棚の間から、彼の長い指が煙草を挟んでいるのを盗み見る。猛禽《もうきん》類を思わせる、鋭い光を宿した目が煙に細められる。長年本を担いで運んだりしているからか、瀬名垣はそれなりに鍛えられた体つきをしていた。高校生ぐらいの時は、背ばかり伸びてひょろりと細い印象があったのだが、いつのまにか真志喜とは違う骨組みの身体になった。真志喜は着物の袖《そで》からのぞく、肉付きの薄い自分の腕を見る。その腕をつかみ、低い声で「ましき」と呼ぶ瀬名垣の声が耳によみがえった。真志喜は一人で赤面し、持っていた本を乱暴に棚に突っ込む。

瀬名垣はこの家にあまり寄りつかない。必然的に、顔を合わせるのは市か瀬名垣の事務所になる。だが今回のように、真志喜が少し顔を出さないでいると、彼は重い腰をあげて様子を見にやってくる。外灯に照らされて佇《たたず》む瀬名垣の姿を見るたびに、真志喜は人知れず安堵《あんど》の吐息を漏らす。

まだ瀬名垣は私への執着を持っている。まだ私を忘れずに、この家を訪れてくれるのだ、と。

瀬名垣の心を知りたいがために、真志喜は忙しさを理由に市に顔を出さなかったのだ。そんなふうに試すような真似《まね》をする自分を浅ましく思い、そういう真志喜を知っていてもなお、様子を見にやってきてくれる瀬名垣を、真志喜は必要としていた。

（そうだ、私ほどあいつを必要としている人間はいない）

真志喜は震えるような切実さをもって、その事実を認める。遠い夏の日に、父親に連れられた瀬名垣が初めて『無窮堂』の門をくぐったときから、真志喜の興味は彼の上にばかりあった。一日の大半を本を読んですごし、外界との接触をあまり好まなかった真志喜が、唯一自分から近づこうとした相手。淡彩の中に生きてきた真志喜にとって、瀬名垣は鮮やかな原色の太陽のように眩《まぶ》しかった。瀬名垣が暮らしてきた知らない土地の話を飽かず聞いた。今までしたことのなかった野球や鬼ごっこなどの遊びを知った。いずれは三代目を継ぐ子どもとして、父親に厳しくしつけられ、古本のことをたたき込まれていた少年の日の真志喜にとって、瀬名垣は見知らぬ広い世界そのものだった。

「用がなければ来ないくせに」

先日の夜に瀬名垣に言った言葉が思い出される。真志喜は苦く笑った。真志喜の世界は、相変わらず瀬名垣を通して存在していた。彼がいなければ、真志喜は時間の止まったようなこの店で、ひたすら客が来るのを待つのみだ。大地震がきて本の山に押しつぶされようと、世界大戦が勃発《ぼっぱつ》して世の中が騒然としようと、真志喜はさして気にもせずに、毎日店を開けてぼんやりと番台に座っていればいい。

店にあるときの古本は静かに眠る。これらの本を書いた人間たちは、すでにほとんど全員死者の列に連なっている。ここに残されているのは、この世にはもう存在していない者たちの、ひっそりとした囁《ささや》き声だ。かつて生があったときの、喜びや悲しみや思考や悩みの一部だ。真志喜はそれらの本の発する声を、じっと聞いているのが好きだった。書物の命は長い。何人もの間を渡り大切にされてきた本は、老いることを知らずに、『無窮堂』でのんびりと次の持ち主が現れるのを待っている。そういう本を守るのに、外界も時間もあまり関係がないのだった。

だが瀬名垣は、死者の囁きに囲まれて心を飛ばしている真志喜を放っておかない。明るく行動力のある瀬名垣は、あくも強いが、人を惹《ひ》きつける魅力もある。うるさがたの業界の老人たちにも好かれ、小さい頃から可愛がられていた。学生時代から友人も多い。いつだって人の輪の中心にいて、一人でぼんやりとしている真志喜を渦の中に引っ張りこもうとした。瀬名垣がいるから、真志喜は時間の経過を知り、笑ったり苛立《いらだ》たせられたりするのだ。

（だが瀬名垣が私を構うのは、彼が私を好きだから、というわけではない）

真志喜はうつむきがちに番台に戻った。瀬名垣はこの家を訪れるとき、必ず何か理由を作る。「おまえの様子を見に来た」とは決して言わない。

(彼は私に負い目を感じているんだ。だから、未《いま》だに私を気にかけてくれる。私に罪の意識や義務を感じる必要など、あいつにはまったくないのに……)

「義務」という言葉を、自分で思い浮かべておきながら、真志喜は激しく傷ついた。そしてそんなことに動揺する自分に腹を立てる。

(べつにかまわない。あいつが義務感で私とつるんでいようと、どうってことないじゃないか。お互いの利害が一致する。だから私たちはたまに一緒に仕事をする。それだけのことだ)

強いて自分に言いきかせながら、真志喜はどこかで気づいてもいた。瀬名垣に「負い目」などで自分に縛られてほしくない、と思う反面、「もう私から自由になってもいいんだ」とは決して告げようとしない、臆病《おくびょう》で利己的な心の襞《ひだ》を。

昼を過ぎても、お客は一向に訪れなかった。小春日和ののどかな表を見ていると、こうして番台に座って目録を作るのが馬鹿らしくなってくる。真志喜は母屋のほうに引っ込み、もう一度家中の戸締まりと火の元を見て回った。寝室の硝子《ガラス》戸から、すぐ足もとにある裏庭の池を見て、そうだ、鯉《こい》に餌をやっておこうと思い立つ。玄関に置いてある餌の袋を取り、しかし鍵《かぎ》を開け閉めするのを面倒に感じて、わざわざ店舗のほうに戻り、店の扉から外に出た。

冬で寂しくなった菜園を眺める。掘り返して黒々とした土に、雑草がしっかりと根を張っていた。先日の夜に瀬名垣が菜っぱと間違えて引き抜き、また元通りに菜園に植え直したものだ。瀬名垣には妙に律儀なところがある。瀬名垣が帰った後に、何事もなかったかのように菜園に生えている雑草を見つけたとき、真志喜は、雑草などそのへんに捨てておけばいいものを、とおかしく思った。

春になったらまたいろいろな野菜の種を播《ま》こう。真志喜はそう考え、そして、菜園で野菜を作ることを教えてくれたのは父親だったと思い出した。いや、「思い出す」というのは正確ではない。幼い日に、父親と一緒にこの菜園を作ったことは、今となっては真志喜が父親と何かをした、ほとんど唯一の記憶だった。土を運び、肥料を混ぜ、水をやった。草取りをし、父親が支えてくれている野菜の茎を切って収穫した。そしてそんな真志喜と父親の姿を、古書の整理のかたわら、祖父が微笑みながら見守っていた。真志喜はそれが嬉《うれ》しくて、逆光の中に佇む父親を何度も見上げ、祖父に手を振った。

『無窮堂』の人間にとって、生活はすべて家業を中心に回っていた。真志喜も、祖父や父と古本以外の話をあまりしたことがなかった。父親と祖父との間柄も、親子というよりは師弟といったほうが近く、だから真志喜はこれが自然な家族のありかたなのだろうと思っていた。

家業とはまったく関係のない菜園で、父親とどんな会話をしていたのか覚えはなかったし、父親の顔も表情ももう忘れてしまった。だが、「思い出す」という行為が必要ないくらいには、菜園を作ったときの記憶は真志喜の中に根を張りめぐらせているのだった。

菜園の緑をできるだけ絶やさないように気を配るのも、そんな記憶と関係があるのかもしれない。真志喜は、己れの行動の背後に潜む未練がましさを忌々しく思った。そして、真志喜の未練や執着を敏感に感じ取るのか、雑草すら元通りに菜園に戻す瀬名垣に対しても、安堵とも腹立たしさともつかぬもやもやとした感情が湧いてくるのだった。

菜園の傍らにしゃがみ込み、にらむように雑草を見つめていた真志喜は、鳥の羽音で我に返った。大木にやってきてさえずる鳥の姿を探しつつ、家屋をぐるりと回って裏庭に出る。

池の縁に立っても、鯉は浮上してくる気配を見せない。いつものことだ。餌をまいても、それを食べているのかいないのか定かではない。真志喜はこの池の鯉の存在を半ば疑っているほどだった。だが瀬名垣は、たしかに池の主の大鯉がいる、と主張する。

「たまに跳ねているじゃないか。ちゃんと餌をやれよ」

それらしき気配を、暗い淀《よど》みの中に感じることもあるので、餌はやることにしている。だが、はたしてそれが本当に鯉なのかということになると、真志喜は首を傾げざるを得なかった。

祖父も生前、やはり池のほとりに立って餌を投げていた。そのときも水は暗くて、しかし真志喜は漠然と鯉でもいるのだろうと納得していた。今もそうだ。錦鯉《にしきごい》の華やかな色をこの池で見かけたことはないが、瀬名垣も魚がいると言うし、鮒《ふな》か何かがいるのだろうと思っている。

「しっかり食えよ。私はしばらく家を留守にする。餌が足りなければ藻でも食べててくれ」

一人暮らしの悲しさで、真志喜は言葉の通じないものに対しても話しかけるくせがある。姿を見せぬ魚に語りかけ、しばらくむなしく水面《みなも》に浮かぶ餌を眺めていた。ふと、父親が池に餌をまいているところは見たことがなかったなと思い、その思いを振り払うように首を振って、店のほうに戻った。

店に入ろうとすると、

「真志喜ちゃん」

と背後から声をかけられた。振り返ると門のところに、近所に住む幼なじみのみすずが立っていた。

「やあ、いらっしゃい。入ったら?」

だが、みすずは首を振った。

「ううん。畑の途中で抜けてきたから」

みすずは真志喜と同い年で、学校もずっと同じだった。姉さん肌の彼女は、幼い頃からなにくれとなく真志喜の世話を焼いてくれた。たぶん、本ばかり読んで茫洋《ぼうよう》としている真志喜を、頼りなく心配に思うのだろう。同級生だった秀郎《ひでお》と結婚した後も、兼業でやっている畑仕事の合間にこうして顔を出してくれる。

みすずは土で汚れた細い指を花柄の野良着《のらぎ》で拭《ぬぐ》うと、手に持っていた紙袋を差し出した。

「今日から買い付けに行くんでしょ？　車の中でおなかすいたら、これ食べて」

「ありがとう」

受け取って中を見ると、干し芋だった。

「好きでしょ？」

「ああ」

真志喜はにっこりと笑う。みすずは門に身体を預けるようにして、真志喜の顔を覗《のぞ》き込む。

「『僕は薔薇《ばら》のジャムを毎日食べます』みたいな顔してるくせに、好物は干し芋に干し柿に干し杏《あんず》だもんねえ」

「ほっとけ」

幼なじみの視線を邪険にかわす。「みすずこそ、茶髪にピンクの花柄のモンペっていう格好はやめたほうがいい。秀郎に逃げられても知らないよ」

だいたいいまどきモンペなんて。しかも手作りの。ぶつぶつ言う真志喜に、みすずはフンとせせら笑った。

「これ動きやすいのよ。それになんと言っても、丸みが可愛いじゃないの。うちの旦那《だんな》も、『みすずほど可愛い妻を持てて僕は幸せだ』って毎日言ってるもん」

「冗談だろ」

「それで？　買い付けはたいっちゃんと行くんでしょ？」

みすずは瀬名垣を「たいっちゃん」と呼ぶ。いきなり核心を突いてきたみすずに、真志喜はややたじろぐ。

「ああ、瀬名垣とだよ」

何気ないふうを装ったつもりだったが、みすずはにやにやと笑った。

「『瀬名垣とだよ』だってさ。昔は『太一、太一』って、毎日後を追っかけて遊んでたくせに」

真志喜はとうとう動揺を抑えきれずに、耳たぶを赤く染めた。

「昔の話だ。今はただの仕事仲間だから」

「他人行儀ねえ」

みすずは大げさにため息をついてみせた。「たいっちゃんは今でも、あんたのことを『真志喜』って呼んでるじゃない」

それとも……とみすずは眉《まゆ》を寄せ、声をひそめる。

「あんた、今でもこだわってるの？」

「まさか」

真志喜は苦笑する。「こだわってるとしたら、瀬名垣のほうだろ」

そうかしら、と言うみすずに背を向け、真志喜はひらひらと手を振った。

「出かける支度をしないといけないから。留守の間はよろしくたのむ」

店の合い鍵を持っているみすずは、真志喜の留守中はいつも、暇を見て店番をしてくれるのだ。

「はーい、適当に売っとくから」

「たのむから、付けた値段どおりに売ってくれ」

真志喜の言葉になおざりな返事を残し、みすずは農道を畑のほうへと戻っていった。

真志喜は車を運転しやすいように着替え、着古したジーンズに「古書組合」と縫い取りされたジャンパーを羽織った。着流し姿でない彼は、年相応に若く見えた。着ているのが「古書組合」のジャンパーでなかったら、古本屋だと見抜ける人間はまずいないだろう。

真志喜は店の戸口にかかったカーテンをしっかりと閉め、硝子戸を閉じて鍵をかけた。革のはげかけた小さな茶色いトランクに着替え一式を入れただけの、身軽な格好で裏庭に回る。

池のほとりに停めてある白い軽トラックの荷台は、昨日のうちに落ち葉などを取り除いて綺麗《きれい》にし、幌《ほろ》をかけておいた。荷台にトランクをぶち込むと、真志喜は運転席に乗り込んだ。何度かキーをまわして、ようやくエンジンがかかる。年季の入った軽トラックを急発進させ、傾きかけた羅生門をよろめきながらくぐる。真志喜の古書買い付けの旅が始まった。

午後の神田の町は、あわただしく行き交う人や車でにぎやかだった。真志喜は慣れた道のりをおんぼろの軽トラックでたどり、瀬名垣の事務所のある雑居ビルの前に強引に縦列駐車した。大通りから一本奥に入ったその道は、片側が路上駐車の車ですべて埋まっている。窓から通りを見ていたのだろう、すぐに瀬名垣が湿ったコンクリートの暗い階段を降りてやってきた。

「わざわざすまねえな、真志喜」

真志喜は、たてつけの悪いトラックのドアを叩《たた》きつけるようにして閉め、ロックをかける。

「おまえ、その格好で買い付けに行くのか?」

瀬名垣の姿を上から下まで点検し、真志喜は眉をひそめた。いつものことながら、瀬名垣は古本屋らしからぬ服装だった。今日はカーキ色のつなぎに、ゴツい作業用ブーツだ。髪の毛は、四方八方に向かって逆立てられている。

「この間、梅原《うめはら》のじいさまのところに米兵が来たんだよ。俺が古本の代金を立て替えてやって、かわりにそいつからもらった服だ」

真志喜は呆《あき》れて肩をすくめた。

「占領時代の闇取り引きじゃないんだから」

「この町は時間が止まってるのさ。ここに集まってくる本が磁場を歪《ゆが》めるんだな、きっと」

もっともらしい顔でうなずく瀬名垣を相手にせずに、真志喜はさっさと表通りに向かった。

「出発前に市《いち》を見る」

「梅原のじいさまから、午前中に何度も電話があったぜ。『真志喜はまだか』ってな」

二人は並んで、市の開かれている古書会館に歩いていった。

神田の町は、古本屋が建ち並ぶ有数の古書街だ。曜日によって分野ごとに、何かしら市が開かれる。近辺はもとより、全国から古書店の主《あるじ》がやってきて、仕入れた古本を出品したり、それを競り合って仕入れて帰ったりする。

瀬名垣の事務所兼住居は、神田の裏通りのビルの二階にあった。古書組合に属し、『古書瀬名垣』を名乗ってはいるが、事務所には古本の影も形もない。そこは「店」ではなく、文字通り「事務所」なのだった。

「おまえもいい加減、ちゃんと店を持てよ」

古書会館の建物が見えてきたところで、真志喜はつぶやいた。車の騒音で聞こえなかったのか、瀬名垣は何も答えなかった。真志喜はひそかにため息をつく。店で本を並べ、客に小売りしている真志喜にとって、瀬名垣のような古本屋を、厳密に「古本屋」と呼ぶことには多少抵抗があった。瀬名垣は小売りはしない。彼は様々な大学や学会や会合の名簿を集める。特に地方で郷土史などを調べている老人に照準を定め、まめに接触をはかる。新聞の死亡欄にも隅から隅まで目を通す。そして、目をつけていた人物が亡くなったのを知ると、「本を買い取りますよ」と声をかけるのだ。たいがい、大量の本を残された家人は、その処分に困っている。そこに、前から折に触れ挨拶状《あいさつ》などの来ていた「神田の古本屋」から「よろしかったら本を引き取ります」という申し出があれば、家族の者は肩の荷が下りたとばかりに査定を依頼する。

瀬名垣は依頼を受けると、さっさとその土地まで出向いて本を買い付ける。相手はもちろん、瀬名垣が神田で店を開いていると信じている。だが、その「店」に本は一冊もない。たしかに瀬名垣は組合にも所属する古本屋ではあるが、買い取った本はそのまますべて宅配便で市に送ってしまう。郷土史資料などは、まとまっていると古本の業者に受けがいい。競りで高く買ってもらえる。郷土史関係を探している人間はごまんといるからだ。つまり、瀬名垣は一般の人から本を一度に大量に買い付けて、そのまま市場《いちば》に流して古本業者に売る、卸専門の古本屋なのだ。

だから瀬名垣の事務所には、古びたベッドと流しと事務用机しかない。他にあるものといえば電話と各種の名簿だけだ。瀬名垣が市や他の古本屋で買うのは、たまに出てくる学会名簿や、大学などの教職員名簿に限られていた。

「ま、名簿が俺の飯の種だな」

と瀬名垣はいつも嘯《うそぶ》く。だが、客との会話の妙や、仕入れた本を並べたり整理したりして売る工夫をする喜びを知っている真志喜には、右から左へとただ大量に本を流すだけの瀬名垣の仕事ぶりはあまり好ましいものと思えなかった。なにより、瀬名垣には古本屋としての才能があった。本の価値を的確に見抜く目。ちゃらんぽらんなようで誠実な心。よい本に巡り会う天性の勘と運。そして客を惹きつける明確な個性のきらめき。

瀬名垣は、努力して得られるものではない「才能」の輝きに溢《あふ》れている。彼はその意味ではたしかに選ばれた人間なのだ。それなのに、その幸運を見て見ぬふりしている。少なくとも、真志喜にはそう思えた。そして店を構えても大成するはずの瀬名垣が、あえて卸専門に徹していることの意味が、重苦しく迫ってくるのだった。

瀬名垣が店を持たないことの原因には、少なからず真志喜も関係しているはずだ。真志喜は自嘲《じちよう》に唇を歪めた。祖父が父が真志喜が、『無窮堂』の三代の人間が寄ってたかって、瀬名垣父子をがんじがらめにからめとった。時の淀んだ古本業界に。

真志喜はきしむような罪悪感と苦しさとともに、甘くて暗い満足感をも味わった。ありもしない罪と懲罰が、瀬名垣を真志喜に結びつけている。離さないでほしい、と真志喜は思った。瀬名垣を放そうとしないのは、真志喜のほうなのに。


競りが行われている一室に入ったとたん、満面に笑みを湛《たた》えた老人が寄ってきた。

「おう、真志喜。元気にしとったか」

古本界の重鎮、『天壌堂《てんじょうどう》』店主の梅原翁《おう》だ。赤いハイビスカスの柄シャツに革のジャンパー、リーバイスのジーンズに下駄という、七十代の老人としてはいささか頓狂《とんきょう》な格好をしている。瀬名垣は梅原と気が合うのか、服の貸し借りなどをする仲だ。服にはまるで関心のない真志喜は、己れの趣味を貫く二人の着道楽ぶりにはいささか辟易《へきえき》していた。

「ご無沙汰《ぶさた》していました。相変わらず派手ですね」

梅原はかっかと笑い、真志喜を奥へ通す。

「なあに、こんなの地味なほうだ。今日瀬名垣が着ておるつなぎも、わしが欲しかったんじゃが」

「じいさまにはデカすぎたんだから仕方ねえだろ」

梅原にまるきり無視されていた瀬名垣は、煙草に火をつけながら二人の後に続いた。

「例の学者センセイはどうなった」

「そうじゃった、忘れとった」

梅原がポンと手を打った。「まだ確認しとらん」

「おいおい、じいさま。ボケないでくれよ」

瀬名垣は大げさにため息をついてみせる。いつもながら仲良くやっているらしい瀬名垣と梅原の様子に、真志喜は落ち着ける場所に帰ってきたような安心感を覚えた。

「夜にまた電話入れるから、それまでに確認取っておいてくれ」

「一人前に指図しおって」

梅原はまんざらでもなさそうにぼやく。

『無窮堂』の若き三代目の真志喜と、卸の瀬名垣、二人を可愛がっている梅原の取り合わせは、同業者たちの視線を集めた。

「おや、『無窮堂』のぼっちゃん。最近顔を出されなかったじゃないですか。どうしました」

四十代後半の槙原《まきはら》が寄ってくる。以前に一時期だけ本田翁の下で修業していた槙原は、若い真志喜を快く思っていない。いくら孫だと言っても、いきなり若僧に老舗《しにせ》の『無窮堂』の看板をしょわせるなんて、と半ば公然と眉をひそめてみせる。真志喜はやんわりと微笑んだ。

「目録づくりに熱中していました。来月にはできる予定ですから、また槙原さんにもお送りしますよ」

『天壌堂』と『無窮堂』という二大老舗店の主に挨拶しようと、まわりには弟子筋の人間やらが集まってくる。瀬名垣は人混みを避けて、若手が集まって談笑しているほうへ近づく。楽しそうに出品物について批評しあう彼らの姿を、真志喜は羨《うらや》ましく眺めた。

市の競りは、据え置き方式で行われる。出品された本が束になって部屋にずらりと並べられ、古本屋は欲しい束につけられた封筒に金額を記入した紙を入れる。封筒の中で一番高い金額を書いた者が、その本を手に入れられるというわけだ。みんなぶらりとやってきては、隙のない目で本を吟味し、手早く金額を記入した紙を投げ入れる。同じような分野を扱っている店の人間の動向をさりげなく探ったり、仲のいい者と情報交換したりもする。じっと本を眺めていたりすると、

「お、あの本はいいものなのかな」

と他の者も競りに参加し、倍率が高くなってしまう。だからみんな、自分の興味や本命がどこにあるのか悟られないように、涼しい表情で澄ましていた。

真志喜も出品物を見たが、特に気を惹かれるものはなかった。目録に加えてもいいかなと思われる二、三束の競りに参加する。もし競り落とせたら、本は梅原に預かってもらうことにした。

「なんじゃ、せっかく顔を出したと思ったら、もう行くのか」

「すみません。夕方前には出発して、今夜中にあちらに着きたいんです。明日朝一番から査定に入る予定でいるので」

「瀬名垣も買い付けでいつも地方を飛び回っておるし、今回はおまえも一緒に行くしのう。若いもんがよく働くのは良いことじゃが、なかなかゆっくり話もできん」

　真志喜がひととおり市を見て回ったことに気づいた瀬名垣が、悠然と歩み寄ってくる。その姿を視界の隅にとらえた真志喜の耳に、聞こえよがしな槙原の言葉が飛び込んだ。

「あれ、『無窮堂』のぼっちゃんは早々にお帰りか。『せどり』と一緒だし、これはこの市に何か大きな掘り出し物でも出るのかと思ったんだがねえ」

　瀬名垣が一瞬足を止めたのがわかり、真志喜は拳《こぶし》を握った。梅原がそっと真志喜の腕に手をかける。だが、真志喜は自分の表情がこわばっていることに気づき、なんとか動揺を取り繕おうとした。だが、顔色が悪くなっていることは見えなくてもわかる。そういう自分の反応を見て、瀬名垣がどう感じるだろうと思い、真志喜は喘《あえ》ぐようにして細く息をついた。

　瀬名垣は、真志喜の肩を横からふざけて抱くようにして槙原に笑いかける。

「きついなあ、槙原さん」

　笑ってはいるが、瀬名垣の瞳《ひとみ》には容赦なく槙原を黙らせるだけの力があった。「俺は『せどり』はしてないって。今は優秀な卸屋だよ？　今度もいい本買い付けて、一括でドバッと市に送るから、まあ楽しみにしててくださいよ」

瀬名垣に煙草の煙を細く吹きかけられて、たじろいだ槙原はとたんに弱々しく後ずさる。

「あ、ああ」

瀬名垣は槙原には聞こえないように、そっと真志喜に耳打ちした。

「楽しみにしてても無駄だけどな。槙原のおっさんには、いい競り買いなんてできねえんだから。見る目ねえもん」

真志喜は緊張を解き、花が綻《ほころ》びるように笑った。

「馬鹿。聞こえたらどうする」

「事実だもん。さ、行こうぜ」

瀬名垣は先に立って歩き出した。真志喜は梅原にぺこりと挨拶すると、後を追って表に出る。

「がんがん買い付けて来い」

梅原翁の檄《げき》が背中に飛んだ。

三

瀬名垣《せながき》の事務所前まで戻り、軽トラックに乗り込む。

「ちゃんと戸締まりしたのか？」

「ああ、したした。しなくてもべつに平気だ。盗《と》られるもんないから」

助手席に乗り込んだ瀬名垣は、窮屈そうに膝《ひざ》を折り曲げながら答える。そして、ダッシュボードの上に載っている紙袋を手に取った。

「なんだ、これ」

真志喜《ましき》はようやくエンジンをかけることに成功した。今度は暖房のスウィッチと格闘する。作動しないのでスウィッチのまわりを殴りつけると、冷たい風が吹き出てきた。瀬名垣は事務所から持ってきた風呂敷《ふろしき》包みを、割れた仕切りのガラス窓から後ろの荷台に放り込んだ。

「さみいな、おい」

「少し我慢しろ。そのうち暖かい風が出てくる。止まったら殴ってやってくれ」

「むちゃくちゃボロいもんな、このトラック」

瀬名垣の言葉に応《こた》えるように、トラックはぎこちなく前後に揺らめきながら発進した。ギアを変えるたびに、車体に不吉な痙攣《けいれん》が走る。

「そろそろ買い換えようぜ、真志喜。これ、おまえのじいさんも親父さんも乗ってたやつだろう」

父親の話題を出されて、真志喜は運転に集中しているふりをした。瀬名垣もその点を深追いはしない。

「買い付けのたびに俺も使わせてもらってるし、もちろん半額出すからさ」

「まあ考えとくよ」

そっけない言葉に肩をすくめ、瀬名垣は改めて自分の膝の上に載っている紙袋を眺めおろした。首都高速の入り口は混み合っている。阿蘇《あそ》の噴火口のように黒煙をまき散らしながら、トラックはのろのろと車の列に連なった。

「それ、みすずから。干し芋だって」

瀬名垣は顔を輝かせて袋を開けた。

「おおー、うまそう」

粉をふいた芋を取り出し、さっそくかじる。真志喜の口元にも一切れ差し出してやった。真志喜も前を見つめたまま、ひとしきり芋を咀嚼《そしやく》する。車の列は、のろのろと高速道路のほうに引き寄せられている。他に見るべきものもなく、瀬名垣は暮れていく空を眺めた。

「みすずちゃんとはしばらく会ってねえなあ。元気か？」

「ピンクのモンペ穿《は》いてたよ」

「ははっ、みすずちゃんらしいぜ。今度俺も作ってもらおう」

真志喜は嫌そうに眉《まゆ》を寄せた。真志喜の冷たい横顔を、もっとしかめさせたいような気分になって、瀬名垣はつなぎのポケットから取り出したくしゃくしゃの煙草に火をつける。

真志喜は細い眉をあげ、窓ガラスを手動でおろした。隙間から冬の風が吹き込んでくる。

「今日は暖かいと思ったけど、さすがに夕方は冷えるな」

瀬名垣は真志喜の無言の抗議にあっさりと負けて、備え付けの灰皿に手をのばす。灰皿はバコッと音をたてて外れてしまった。だがこの車ではよくあることだ。瀬名垣は落ち着いて煙草を消すと、灰皿をむりやり元通りにはめ込んだ。

車はもちろん老朽化しているが、それよりも問題なのは真志喜の運転の腕なのではないか。瀬名垣はサービスエリアでうどんをすすりながら、いつもどおりの結論に達した自分を確認していた。隣では真志喜が、鯛《たい》焼きとたこ焼きを食べている。瀬名垣はため息をついた。

「その古書組合の作業ジャンパーはよせよ」

「なんで。古本の買い付けに行くのにぴったりの格好だろ」

真志喜はたこ焼きの最後の一個に丁寧にソースを絡め、満足そうに口に運んだ。「私だって、見合いにこんな格好はしていかない。おまえみたいに場所や目的をわきまえない服よりはいいだろう」

瀬名垣はほとんど聞いていなかった。真志喜の肩を揺すぶらんばかりの調子で詰め寄る。

「見合いするのか」

「しないよ」

無料サービスの茶をすすった真志喜は、さっさと立ち上がった。

しぶる真志喜となんとか運転を交代し、トラックは滑らかに夜の高速道路を走っていた。助手席の真志喜は、前方の赤いテールランプの列や対向車のライトの流れを、飽かず眺めている。適度に暖まった車内は心地よく、干し芋をかじりながら真志喜はドアに寄りかかった。

「それで？　今回の依頼はどういうものなんだ」

「話してなかったか」

「先週うちで鍋《なべ》を食べて、買い付けにつきあえと言ったきりだった」

そういえばそうか、と瀬名垣は指先で額を掻《か》いた。

「M県の山奥とは言ったよな。そうだ、チェーン持ってきたか？」

「荷台に積んだままになってる」

「峠はかなり積もってるらしいんだ」

真志喜はため息をついた。

「春まで待ってもらえなかったのか？」

「馬鹿言え。卸の買い付けは素早さが肝心だぜ。ハイエナのごとき同業者はごまんといるんだ」

それもそうかと納得し、真志喜は黙った。瀬名垣は謳《うた》うようにそらんじてみせる。

「演劇関係が五百、郷土史一千、文学・歴史・民俗など二千、その他雑誌切り抜き帳などもろもろ」

「しめて三千五百冊か。荷造りすることも考えたら、これは案外手間取るかもな」

瀬名垣は頷《うなず》いた。

「さらに、依頼者は故人の奥さんなんだけど、親戚《しんせき》連中は蔵書を売ることに反対らしい」

「へえ、なんで」

「地元の図書館にでも寄贈しろ、とさ。散逸を防ぐのが故人のためにも良い、というご意見で」

真志喜は笑った。

「珍しいね。たいがいは売りたくないと言う配偶者が親戚連中に説き伏せられて、しぶしぶ古本屋に査定を申し込むものなのに」

「まあ売るのがいいか寄贈するのがいいか、微妙なところだけどな」

「売るべきだよ」

真志喜はきっぱりと言った。「図書館に入ってしまったら、本は死んでしまう。流通の経路に乗って、欲しい人の間を渡り歩ける本を、生きている本と呼ぶんだ」

瀬名垣は後ろから大型トラックに煽《あお》られて、登坂車線に逃げ込んだ。

「せめて相手が納得できる値段を提示して引き取りたいもんだが、この調子じゃいつ着くかわかんねえな」

瀬名垣の手にかかると、なぜか真志喜の軽トラックは快調に走る。最初はその事実が面白くなかったが、最近では真志喜も気にせずに、心地よい振動に身を委《ゆだ》ねるようになった。電車でも車でも、一定のリズムの繰り返しがどうしてこんなに眠気を誘うんだろう。そんなことを思っているうちに、いつのまにか夢の世界に入り込んでいた。

夢を見ながら、それが夢だとわかっていた。蟬を捕まえた小学生の瀬名垣が、同じ目の位置の真志喜にむかって得意そうに笑いかける。

「見ろよ、真志喜。この蟬なら標本にするのにちょうどいいだろ」

「うん」

蟬は網の中で、切れかけた蛍光灯のような音を立てている。真志喜は恐る恐る覗《のぞ》き込み、それが羽根の震える音だと気がついた。書庫に置いてある標本キットを思い浮かべる。この節のある固い体に、薬品を注射器で注入するのだ。抑えきれない好奇心と、それを上回る罪悪感にためらって、真志喜はもじもじとした。だが瀬名垣はそんな真志喜のためらいには気づいた様子もなく、先に立って玄関のほうにまわった。そうなれば、真志喜も慌てて瀬名垣の後を追うしかない。石の敷き詰められた広い玄関で靴を脱ぎ、長い廊下を通って書庫へ入った。

店先では人の声がしている。真志喜の父親が、近所の家から本を買い取ってきたのだろう。真志喜の祖父と瀬名垣の父親が、買い入れてきた本についてなにやら話している。真志喜と瀬名垣は表のことは大して気にもせずに、手の中の蟬に夢中になっていた。

「な？　こうやってこの背中んところに、目立たないように注射するんだ」

薬品を打たれた蟬は、一時は騒ぎ立て、じいじいと鳴いていたが、それもすぐに終わった。瀬名垣がそれをころりと床に転がす。真志喜がおずおずとつついてみても、蟬はもうなんの反応も返さなかった。

「死んじゃったの？」

「ああ」

二人はしばらく黙っていた。やがて真志喜が、そっと蟬を掌《てのひら》に乗せる。

「なんだか軽くなったみたいだね」

「太一《たいち》、ぼく、やっぱり標本作りはやめにするよ。なにか別のことにする」

瀬名垣が怒ったように真志喜を見たが、真志喜は蟬に視線を落としたままだった。瀬名垣は仕方なさそうに、書庫の壁に寄りかかる。

「まあいいけどさ。じゃあおまえ、自由研究どうすんだよ。もうすぐ夏休みも終わりだぜ」

「そうだねえ」

「真志喜はいっつものんびりしてるんだもんなあ」

手足を投げ出した瀬名垣は、ふと傍らの本の山から、汚い小冊子のようなものを引き抜いた。「これ……」

「どうしたの？」

真志喜も蟬を大事に手に持ったまま、瀬名垣のそばににじり寄る。「そこにある本は、父さんがもう捨てるものだって言ってたよ。傷みが激しすぎたりして、商品にはならないものだって」

中をパラパラと眺めていた瀬名垣は、「嘘だろ」と声を震わせた。

「どうしたんだよ、太一」

「真志喜、もしかしたらこれ、すげえ掘り出し物かもしれないぜ」

「気のせいだろ」

瀬名垣の弾んだ声、店で立ち働く父親の気配、手の中の死んだ蟬……。

駄目だ、と真志喜は思った。それを父親に見せてはいけない。何も気づかぬうちに、そのまま捨てる本の山に戻しておかなければいけない。だが、瀬名垣は真志喜の手を引いて、もう番台の裏から店に顔を出している。

「ねえ、おじさん。この本、おれたちにくれないかな」

いけない、駄目だ！　動かないはずの蟬が、手の中で不気味に蠢《うごめ》いた。

「……っ」

声にならない叫びを上げて、真志喜はびくりと夢の世界から逃げ出した。トラックはまだ高速道路を走っていた。眠気防止のための道路の継ぎ目で車が揺れている。オレンジ色の明かりに照らし出された瀬名垣の横顔を見ながら、真志喜は安堵《あんど》の吐息をついた。

「大丈夫か」

前だけを見ていると思っていた瀬名垣が、顔は正面を向いたまま、左手をのばした。乾いた掌が真志喜の額にそっと触れ、じっとりとかいた汗を拭《ぬぐ》った。

「近場のパーキングエリアに入ろうか？」

真志喜はやんわりと瀬名垣の手を額からはずさせた。

「大丈夫だ。昨日の目録書きがひびいて、眠いんだよ」

「うなされていた」

瀬名垣は離そうとする真志喜の手を許さなかった。逆に真志喜の指先を、左手で包むように握る。

「槙原《まきはら》のせいか。あいつが余計なことを言ったから……」

瀬名垣がすべてに対して激しく後悔していることを感じ取り、真志喜は指先を自由にしようともがくのをやめた。

「みすずが」

突然出てきた名前に、瀬名垣がちらりと真志喜を見た。真志喜は頑《かたく》なに顔を正面に向けたまま続ける。

「みすずが、どうして『瀬名垣』なんて他人行儀に呼ぶのか、ってさ」

瀬名垣は片頬に笑みを刻んだ。真志喜は指先を瀬名垣の手からそっと引き抜いた。

「呼んでるのにな、おまえのこと。名前で」

ひそやかな声が耳元によみがえる。瀬名垣は血流にひそむものがざわめくのを、リズムをつけてハンドルを軽く叩《たた》くことで抑えた。

「秀郎《ひでお》が余計なことを吹き込んだな」

「どうかな。みすずもあれで案外鋭いところがあるから」

「俺たちもろくな友だちがいない」

真志喜は軽く笑って、傍らを流れる暗い外を眺めた。

「……私が名前で呼ばなくなっても、おまえは何も言わなかった」

「呼んでるだろ、名前で」

真志喜の表情はうかがえなかった。ただ、瀬名垣から見えるほうの耳朶《じだ》が赤くなっていた。

「そうじゃなく……」

真志喜はほとんど喘《あえ》ぐようにして、声を押し出した。「こうしてしゃべったりしている時のことだ」

「俺は呼び名なんてどうでもいい」

それは少し嘘だった。それでも瀬名垣は揺るぎない声で告げなければならない。

「必要なときに、真志喜が俺を呼ぶ。俺を呼ぶんなら、それでいいんだ」

真志喜の肩から、目に見えて力が抜けた。瀬名垣は再び手をのばして、真志喜の髪の毛を優しくかきまぜる。

「もう少し寝てろよ」

「運転に集中しろ」

真志喜は瀬名垣の手を押しやると、ぴしゃりと言った。そしてドアに頰杖《ほおづえ》をついて、教習所の教官のように減点方式で瀬名垣の運転ぶりを監督した。

軽トラックのスピードはどうやっても百キロ以上は出なかった。難所の峠にさしかかる頃には夜中になっていた。

高速道路の出口で二人で協力してチェーンをつけてから、瀬名垣はまず梅原《うめはら》に連絡を入れた。梅原から欲しかった情報を手に入れ、商売の算段をしながら、次に依頼人の電話番号を押す。依頼してきた女は、いくら遅くなってもかまわないから、家に来て泊まるようにと言った。恐縮して電話を切り、車に戻った瀬名垣は、助手席で静かに眠っている真志喜を発見する。

地図を確認してから緩やかに北にハンドルを切り、ひそかにため息をついた。先ほど真志喜は、たしかにあの日の夢を見ていた。もう十年以上前になる、真志喜と瀬名垣の運命を決した日。そのときのことを思うと、今でも瀬名垣は苦い後悔と、それを上回る深い確信に満たされる。あの日から、瀬名垣は真志喜から離れられなくなった。瀬名垣はそれを歓喜している自分を知っている。だが同時に、真志喜に思いを告げる言葉を失ってしまったことを、苦々しく思うのだ。真志喜は、罪の連関が二人の間をつないでいると思っている。瀬名垣が真志喜に罪悪感を感じているから、そばにいるのだと思っている。そして、そんなふうに卑屈に考えてしまう己れを恥じている。瀬名垣は真志喜のその諦念《ていねん》がもどかしい。

だが、それは違うのだ、と真志喜に説明する言葉がなかった。それだけの勇気はなかった。瀬名垣の中にたしかに存在する後ろめたさ、罪悪感とはべつに、瀬名垣はすすんで真志喜のそばに在ることを選んだのだ。しかし、二人の間にあまりにも長い間、触れられることなく横たわったものに阻まれて、真実の心をさらけ出すことにはためらいがあった。もう実体のない影のようになった「罪」。あるのかないのか、それが罪だったのかどうかも定かでないものに、あまりにも二人は囚《とら》われすぎていた。いつのまにかそれだけがお互いのつながりを支える確かなもののように思えてきて、臆病《おくびょう》になった。

あの日、『無窮堂』の書庫の捨て本の山の中から、瀬名垣は『獄《ごく》にありて思ふの記《き》』を見つけたのだった。古本業界で通称『獄記《ごくき》』と呼ばれるこの薄い本は、世の中に一冊しか現存していないと言われる幻の本だった。明治時代の社会主義者で詩人の、畠山花犀《はたけやまかさい》が書いた詩集だ。印刷製本までされたが、当局の手によって世に出ることなく焼かれた。結局残ったのは印刷屋がとっさに隠した一冊のみで、それを畠山は泣く泣く引き取り、大切に隠し持っていたという。

それが本の形をしていて印刷されたものであれば、絶対に残っているはずだと夢を見るのが古本屋だ。幻の社会主義詩集の存在は、ひそやかに噂され続けた。戦前にとうとう大阪で、その一冊が発見された。そのときはかなり評判にもなり、大変な額が様々な人間の間を行き来したということだが、戦争のどさくさに紛れ、『獄記』は再びどこかに消えた。

瀬名垣は大阪に一度出現したときに撮られた『獄記』の写真を、本田翁《ほんだおう》の兄弟分である梅原のじいさまに見せてもらったことがあった。梅原も夢を捨てられず、いつか幻の稀覯本《きこうぼん》に出会えないかと、写真を眺めたりしていたのだ。

「これがこの世に一冊しかない『獄にありて思ふの記』じゃ」

「薄っぺらい本だな」

「そうは言うが、太一、これが見つかったらすごいぞ。まあ大層な値段でどこかの大学か図書館が買ってくれることは間違いない」

「へえー」

「そしてなにより、長くいずことも知れぬところを彷徨《さまよ》って、ようやく地表に顔を出した幻の本を、この手で掘り起こして日の目を見せてやれるのじゃ。これ以上の古本屋冥利《みょうり》はないぞ」

だから瀬名垣は、『無窮堂』の書庫でふと、雑本の間にわずかに見える薄い本の背を、

「そうそう、写真の本もこんくらいの厚さだったよな」

と引っぱり出したのだ。引っぱり出して、手が震えた。表紙の崩し文字はしかとは読めなかったけれど、「獄」の字であるように思われたのだ。梅原に見せてもらったのは白黒の写真だったが、いま手にある本と同じように、笹の絵が表紙に描いてあった。想像して

いたよりも印刷は鮮やかで、それが瀬名垣を不安にしたが、奥付に「明治」の字を見て確信に変わった。

瀬名垣は立ち上がった。びっくりしている真志喜の手を引いて、父親や真志喜の祖父、そして『無窮堂』の当代のいる店のほうに顔を出す。

「ねえ、おじさん。この本、おれたちにくれないかな」

すごい宝物を見つけた誇らしさと、大事な真志喜とそれを分け合えるという嬉《うれ》しさでいっぱいだった。父親が店を開きたがっているのは知っている。『獄記』を売れば、開業資金くらい軽く手に入るだろう。「せどり」と父親を見くびる古本屋連中を、きっと見返すことができる。

瀬名垣は「世紀の掘り出し物」が、自分のまわりにどんな波紋をもたらすのかをちっとも考えずに、その幻の本を高々と掲げてみせた。

対向車とすれ違うことも難しい細い峠道は、すっかり闇と雪に閉ざされていた。軽トラックの心もとないライトに照らし出される道は、雪が固まって氷状になっていた。どうやらガードレールもないカーブがあるようだ。道もところどころ舗装されていない場所がある。とんでもない山奥に来てしまったと、瀬名垣は慎重にハンドルを切りながら苦笑した。植林された山が何層にも連なり、杉の枝には重く雪が積もっている。林業の衰退した今では、枝を払う者も、雪よけを吊《つ》る者もいないのだろう。野放図にはびこる針葉樹の森は、底知れぬ暗さをはらんでいた。うねうねと曲がりくねる峠道の、崖《がけ》の遥《はる》か下を川が流れているらしい。水音に真志喜が目を覚ますのではないかと様子をうかがったが、彼は車の振動に身を委ねるだけだった。

この買い付けにつきあわせたせいで、たぶん真志喜はずいぶん無理をして、目録の執筆を進めなければならなかったのだろう。窓ガラスの向こうに迫った闇から浮かび上がるように、真志喜の肌は普段よりいっそうほの白く見えた。

瀬名垣はまた、追憶の中に身を沈めていった。

瀬名垣がかざした本を、『無窮堂』の店主だった真志喜の父親はちらりと見た。そしてぞんざいに、

「ああ、どうせ捨てる本だ。欲しければ持っていくといい」

と言った。瀬名垣は心に快哉《かいさい》を叫んだ。

そのとき、傍らで瀬名垣の父親と雑談していた本田翁が、穏やかに声をかけてきた。

「太一、その本をちょっと見せておくれ」

瀬名垣はもちろん、本田翁に見せたくなかった。目利きの評判をほしいままにする翁は、この掘り出し物の価値をさすがに一目で見抜くだろう。そうなったら、この本は取り上げ

られてしまう。ためらっていると父親が、「さっさと翁に渡せ」としきりに目で合図する。誰のためにこれを自分のものにしようとしているかわかってるのかなあ、と苦々しく思いながら、仕方なく本田翁に手渡した。

『獄記』を持つ本田翁の手は震えた。そして翁は、瀬名垣をひたと見据えた。

「これがなんなのか、わかっているのか、太一」

常に優しい老人が、これほど鋭く真剣な眼差《まなざ》しを瀬名垣に向けたのは初めてのことだった。

瀬名垣はなんと答えるべきか困った。だが結局、誇りも手伝って、

「うん」

と一言、はっきりとうなずいた。

本田翁は笑った。

「見事じゃ、太一。おまえは本当に頼もしい男だ。わしですらこうして震えがきているというのに、おまえはわかっていてなお動じもしない」

本田翁は『獄記』を瀬名垣の手に返した。瀬名垣はまさか戻してもらえるとは思っていなかったので、本田翁の深い皺《しわ》の刻まれた顔をまじまじと見つめた。本田翁はもう一度噛《か》みしめるように言った。

「見事じゃ」

瀬名垣の父親は、息子の手にある古びた本と敬愛する老人の顔とを忙しく見比べた。

「一体なんの話ですか、翁」

真志喜の父親も、本を束ねていた手を止めて歩み寄ってくる。

「どうなさったんです、お父さん」

「みんな、よく見ておきなさい。真志喜もおいで」

瀬名垣のまわりに、居合わせた人間が集まった。瀬名垣は、今までつないだままでいた真志喜の手を引き寄せる。本田翁のおごそかな声が響いた。

「これが幻の本。『獄記』だ」

声にならない動揺が、二人の父親たちの間を走り抜けた。

「はあ、これが……」

ようやく瀬名垣の父親の口から間の抜けた感嘆の声が上がったとき、真志喜の父親はついと表に出ていった。

「あ、本田さん……」

瀬名垣の父親の呼び止める声も聞こえないようだ。本田翁は肩を落とした。

「放っておいてやってくだされ。瀬名垣さん、あんたもわかるでしょう。『無窮堂』は十二歳の男の子に、この世に一冊しかない稀覯本を掘り出されたんじゃ」

瀬名垣の父親はとたんに、夢から覚めたかのように顔をこわばらせた。状況を察した真志喜が不安そうに、父親の出ていった硝子《ガラス》戸を見やる。

「この本を再び世に出す手伝いができたことは、とても名誉なことじゃ。だが……胸中察してください」

本田翁の言葉に、瀬名垣の父親はガバッとその場に土下座した。

「倅《せがれ》が大変なことをしでかしまして。だがこいつは何もわかっていなかったんですよ。それで、本田さんが後で世に出そうと思っていた『獄記』を、なんの気なしに手に取った。そうにちがいありません。そうだろ、太一」

瀬名垣は黙っていた。そうではなかったからだ。瀬名垣は捨てる本に仕分けられていたものの中から、価値をわかった上で、一冊だけ欲しいと本田に言ったのだ。本田はそれをたしかに見て、そしてあっさりと許可した。瀬名垣は知っていたが、本田は知らなかった。瀬名垣は見抜いたが、本田は見抜けなかった。それが真実だ。瀬名垣は肯定も否定もせずに黙っていた。何を言おうと、もう元には戻らないのだとわかっていた。

瀬名垣は『無窮堂』から掘り出してしまったのだ。第一級の稀覯本を。

夕闇があたりを覆い尽くしても、真志喜の父親は戻ってこなかった。そのまま夜になり、朝が来ても、彼は戻らなかった。

『無窮堂』の二代目は、黄昏《たそがれ》の中に姿をくらました。

瀬名垣の父親は恩を仇《あだ》で返すようなことになったと、それから二度と『無窮堂』に行こうとしなかった。それどころか、あんなに好きだった古本の世界からも身を引き、日雇いで道路工事などをしてまわった。若くはない体に仕事がきつかったのだろう。瀬名垣が高校に入ってすぐ、父親は亡くなった。瀬名垣は父親のためにと思った。父は責任を感じ、夢を捨てた。だが息子を責めることは一度もなかった。むしろ、息子の手柄を心のどこかで喜んでいる節があった。『無窮堂』にあった『獄にありて思ふの記』の発見者については、公にはついに「不明」として処理されたのだが。

本田翁は、発見者を瀬名垣太一だと公表しようと主張した。だが瀬名垣の父親は頑として首を縦に振らなかった。これは『無窮堂』さんの本ですと言い張り、『獄記』に対するどんな権利も主張しなかった。

そうは言っても狭い業界のことだ。噂は瞬時に千里を駆ける。

『無窮堂』の大発見にはどうやら「せどり」の息子が絡んでいるらしい。あそこの二代目の失踪《しっそう》は『獄記』の見つかった日のことらしい。とすると……。

まことしやかに、本田翁の二代目追放説、二代目自殺説などが流れた。居合わせた人間の運命を変えた本は、結局ある宗教団体が運営する大きな図書館に買い取られた。億に近い金が動いた。本田翁はまたしても、瀬名垣にそれを受け取る権利があると言ったのだが、瀬名垣の父親は決して受け取ろうとしなかった。それなら折半でどうだと申し入れられても、父親はもう何も答えなかった。

父親が『無窮堂』に寄りつかなくなり、少年だった瀬名垣はつまらない日々を送った。

「おまえももう決して、翁にも真志喜くんにも会おうと思うな」

と父親は言った。「二代目が失踪した。その重みを忘れるんじゃないぞ」

よかれと思ったことが、すべてを壊した。父親がいなくなった真志喜は泣いているだろうか。優しく古本のことを教えてくれた翁は、ひどく怒っているのだろうか。瀬名垣は裏切りにも等しいことを自分がしてしまったのだと、ようやく認識した。

瀬名垣は迷い苦しんだ末に、それでもどうしても真志喜に会いたくて、『無窮堂』に足を向けた。『獄記』の騒動から半年が過ぎた、寒さの厳しい日のことだった。

重い門を押し開けて覗いた店内には人影がなかった。ややためらった末に、瀬名垣は建物をまわり込んで、敷地内に深く足を踏み入れた。

大木の梢《こずえ》は風に震え、葉は埃《ほこり》っぽい色合いで冬に耐えていた。夏に真志喜が手入れをしていたトマトも枯れ果て、古代遺跡のように折り重なって土になるのを待っている。硝子越しに見える静まり返った廊下。瀬名垣は不安に押し出されるように裏庭に急いだ。

本田翁が池の縁石の上に佇《たたず》んでいた。怒鳴られるか、無視されるかと、痛いほどに鼓動をはじめた心臓を持て余しつつ、瀬名垣はゆっくりと歩み寄った。瀬名垣が声をかけるよりも先に、本田翁は振り向いた。そして、微笑んだ。

「太一、しばらく来なかったね。心配していたよ」

許しを乞《こ》おうと思っていたのに、本田翁の態度と表情に、瀬名垣はすべての言葉を忘れた。「お父さんは元気か」

ただ、うなずいた。

「そうか……」

本田翁は瀬名垣を手招きし、自分の隣に並ばせた。そして、手に持っていた麩《ふ》の袋を瀬名垣に渡す。

「この池には主《ぬし》が住んでいる」

促され、麩をちぎって池に投げた。水面《みなも》は沈黙を守ったままだ。魚はもうおなかいっぱいなのだろうかと思いつつ、なんの反応も示さない池にひとしきり麩を投げた。

「わしがこの土地を買い、家を建て庭を造ったとき、池に主を放した」

本田翁は淀《よど》んだ水の奥を見通すような視線を、水面に当てていた。「『無窮堂』が良い古書に巡り会えるように、家族が幸せに暮らせるように、願をかけて餌をやってきた」

何を水に放したのか、瀬名垣は聞くことができなかった。それどころか、相変わらず何一つ言葉を発することができずに、ふやけて沈んでいく麩をひたすら見つめているのが精一杯だった。本田翁には見えているらしい水底《みなそこ》が、瀬名垣には見えない。

「結願《けちがん》した。わしは古本屋としてこの上ない古書を手にした。それに再び生命を宿らせる手助けができた」

本田翁は瀬名垣を見た。「太一、これからも『無窮堂』に来なさい。おまえには才能がある」

その才能が、すべてをめちゃくちゃにした。瀬名垣は自分の才能と運も発見したのだ。瀬名垣には『獄にありて思ふの記』を見つけたとき、瀬名垣には本を嗅《か》ぎ分ける才能がある。発掘されるのを待っている本は、瀬名垣に見つめられ触れられると、輝いて存在を示す。書棚の中で、積み重ねられた床の上で、本は星のように淡い光を発して、瀬名垣に見いだされようと身をよじる。子どもの頃からクズ本の山にいた瀬名垣は、本に愛されていたし、その愛を感じ取ることに長《た》けていた。

本田翁が言うように、これから書物に関する知識を身につけ、経験を積めば、瀬名垣は古本屋として立派に生計を立てられるだろう。しかし瀬名垣は怖かった。自分を誘《いざな》う、古書に宿る底知れぬ魔力が怖かった。父の夢を喰《く》らい、真志喜の父を黄昏の中に連れ去り、それでもなお瀬名垣を招き寄せる古書の悪魔。それは本田翁のように老獪《ろうかい》に、真志喜のように蠱惑《こわく》の香を振りまいて、瀬名垣を招き寄せる。

もう瀬名垣に抗《あらが》う手だては残されていない。恐怖に戦《おのの》きつつも、進めるところまで行くしかない。あの夏の日に真志喜が赤い実を差し出したときから、こうなることはどこかでわかっていた。

ようやく唇から紡ぎ出された言葉は、掠《かす》れてひび割れていた。

「風邪をひいて寝込んでおる。おまえが来るのをずっと待っておったよ」

本田翁の言葉は、冷たい風にさらわれて空《むな》しく曇天の下に散逸した。瀬名垣の耳には、そう響いた。本田翁は世界の成り立ちの秘密を伝授する老僧のように、瀬名垣の耳に唇を寄せた。

「真志喜のことをおまえに頼もう、太一」

表で人の気配がする。本田翁はゆっくりと池から離れた。

「客のようだ。ここでは寒い。太一も店のほうにおいで」

瀬名垣は一人、池のほとりでぐずぐずしていた。背後で、庭に面した寝室の硝子戸が開く音がした。振り返ると、冷たく堅い土の上に、寝間着を着た真志喜が裸足《はだし》で下り立つところだった。

真志喜は瀬名垣の記憶の中の真志喜よりも、少しやせていた。頰は青く細い血管を透かすほどに白く、土を踏みしめる足の指先だけが凍えてほんのりと赤くなった。

真志喜は近づいてくると、何も言わぬまま瀬名垣に静かに抱きついた。熱に火照《ほて》った身体を間近に感じ、瀬名垣はわずかに足をよろめかせる。それで罪悪が帳消しになるのなら、このまま水に落ちて池の主にむさぼり食われてしまいたいとふと思い、しかし瀬名垣の首にすがっている真志喜の存在に、ぐっと足を踏ん張った。

「風邪をひいてるんだろ」

薄い寝間着一枚で庭に出てきた真志喜を、家のほうに押しやる。真志喜は身を離し、うつむいた。長い睫毛《まつげ》が頰に灰色の影を落とした。

「もう、来ないのかと思った」

瀬名垣は真志喜の手に、薬で殺された蟬が握られていることに気づいた。

「おまえ、まだこんなの持ってたのか」

冬に見る蟬の黒い背はまがまがしく、瀬名垣にはそれがあの日の罪の象徴のように思えた。腕を伸ばした瀬名垣から、真志喜は蟬の死骸《しがい》を遠ざけようとする。頑なに背後に隠す真志喜に、瀬名垣は言いきかせる。

「それはもう捨てろよ。虫が湧くぞ」

「瀬名垣」

真志喜が瀬名垣の名字を呼んだのは、それが初めてだった。瀬名垣は動揺を押し殺し、正確に真志喜の心を読みとって彼の望む言葉を口にする。

「また遊びに来るよ。前みたいに。おまえが望むかぎりは、俺はここに来る」

真志喜は安心したように、蟬を瀬名垣に差し出した。掌に乗せられた蟬は軽く、羽の先がちぎれていた。

「はやく部屋に戻りな。俺もすぐ行く」

真志喜は頷き、おざなりに足の裏を払って、また硝子戸から部屋に上がっていった。瀬名垣は母屋に背を向け、池の縁にしゃがみ込む。

夏の虫を冬の池にそっと滑り落とした。蟬はしばらくシミのように水面を漂い、体内から小さな泡を立てた。その時、これまで静寂を保っていた池が大きく波立ち、黒くぬめった影が空気を押し上げた。あ、と思った瞬間には、すでに水は重い沈黙を取り戻しており、蟬はどこにも見あたらなかった。

瀬名垣はしばらく呆然《ぼうぜん》と淀んだ水面を凝視していた。もう水中をよぎる影はない。瀬名垣の罪を腹におさめた池の主は、再び水底深く沈んだのだ。瀬名垣は薄ら寒い気分になり、慌てて立ち上がる。本田翁に受け入れられ、真志喜に望まれたことに対する歓喜と高揚が、とたんに冷めた気がした。

忘れるな、と何かが瀬名垣を責め苛《さいな》む。それが水底に沈んだ蟬なのか、池の主なのか、それとも瀬名垣自身の心なのか、すべてが鈍い灰色一色に融合しているこの庭では判別できなかった。

いずれにせよ、自分を許すことは難しい、と瀬名垣は思った。誰でもそういうものなのだろうか？　わからない。わからないが、重い息苦しさだけはいつまでも瀬名垣の中に残った。

四

永遠に続くかと思われた峠道を越えると、山間《やまあい》にしがみついているような小さな集落に出た。暗いので判然としないが、細く流れの速い川沿いに家々が並んでいるようだ。こんなに山深いところでは田畑を作る土地さえ満足に確保できまい。そんな村で何千冊と本を集めた老人への興味が、むくむくと頭をもたげた。

「真志喜《ましき》のこと言えねえな。依頼人の背景を詮索《せんさく》するのは御法度だってのに」

常に冷静に、なるべく思い入れを排した視線で本を評価する。それが古本屋の鉄則だ。思い入れは目を曇らせ、判断を誤らせる。

「詮索などしていない」

不機嫌な声がして隣を見ると、真志喜が暗い外を眺めていた。

「起きてたのか。そろそろ着くぜ」

「こう暗くて、どの家かわかるのか」

村に入ってからの道は綺麗《きれい》に雪かきがされていたが、道路の凍結までは防ぎきれない。タイヤはかき氷機のような音を立てて回転する。寝起きでぼんやりとしたまま前方を眺めていた真志喜は、一つだけ電気の明かりとは違う光を見つけた。

「瀬名垣《せながき》、あれ……」

「ああ、たぶんそうだ」

集落の中でもひときわ大きい農家の門口に、闇を滲《にじ》ませて白い提灯《ちょうちん》が吊《つる》されていた。火の入った提灯は夜の中に仄《ほの》かな光を投げかける。近づくとそこに「忌中」と墨で黒々と書かれているのがわかった。

「正解」

つぶやいた瀬名垣は、道幅が狭いので路上駐車は早々に諦《あきら》め、農家の広大な前庭に躊躇《ちゅうちょ》せず軽トラックを乗り入れた。

「家の人の了承も得ずに、こんな……」

慌てた真志喜の非難の声は、すぐにかき消された。突然の深夜の侵入者に、鶏が騒ぎ、犬が吠《ほ》えた。玄関の内側に明かりが点《つ》いて、三十代ぐらいの女が出てくる。手振りで車を横付けするよう指示した。瀬名垣は危なげなく切り返し、ゆったりと軽トラックを操るとエンジンを切った。

車から降り立ち、それぞれの荷物を手にした二人を見て、女はその若さに少し戸惑いを覚えたようだった。だがすぐに微笑みを浮かべ、頭を下げる。

「初めまして、岩沼《いわぬま》でございます。遠いところをわざわざ申し訳ありません」

葬式やらなにやらで疲れているのだろう。やつれてはいたが、岩沼と名乗る女にはそれ故のいっそうの艶《なま》めかしさがあった。黒っぽい着物の襟足からのぞく細い首。朝に結ったらしい髪の毛は、今は少しほつれて白い膚《はだ》にまといついている。そしてなにより、彼女は目鼻立ちのはっきりした、人の視線を集める容貌《ようぼう》をしていた。

真志喜は、自分たちが舞台の書き割りのように出来すぎた状況に放り込まれたのを察し、やや意地の悪い気持ちで瀬名垣の反応を待った。しかし無造作に風呂敷《ふろしき》包みを片手にぶら下げた瀬名垣は、まるで近所の銭湯に来たかのような気軽さで言った。

「いえ、本のあるところならどこへでも。瀬名垣です」

人好きのする笑みを浮かべ、背後の真志喜を紹介する。「助《すけ》っ人《と》を頼みました。友人の本田です。『無窮堂《むきゅうどう》』という古本屋の主《あるじ》で、目は確かです」

女は真志喜にも丁寧に頭を下げ、二人を家の中に導く。

「こちらは東京に比べて寒うございましょう。どうぞお風呂を使って、今夜はもうお休みくださいい」

硝子《ガラス》の引き戸の玄関をくぐると、すぐに広々とした土間になっていた。土間に台所がある昔ながらの農家だ。天井は高く、太い煤《すす》けた梁《はり》が見えていた。土間から座敷に上がり、炬燵《こたつ》とテレビと神棚だけがある居間を横切って廊下に出る。数多《あまた》の時を経た家に、人の気配はなかった。

裏の山に面した客間には、すでに布団が用意されていた。

「なにかお夜食でも……」

「お気遣いなく。済ませてきました」

真志喜の言葉に、女は「そうですか」と引き下がり、

「お風呂はこの奥です。私ももう休みますので、お使いになったらどうぞそのままに」

と言った。瀬名垣は風呂敷包みをほどき、中から歯ブラシを取り出しながら問う。

「明朝は何時から始めましょうか」

「そうですねえ」

女は細い指を軽く頰に当てた。「本はすべて蔵の二階にございますの。そこが書斎でしたから」

「それは運びおろすのにかかりますね。早めに始めてかまいませんか」

「ええ。では朝食は七時半ごろに」

部屋の時計に目を走らせると、針はすでに一時を指そうとしている。瀬名垣はこめかみを掻《か》いた。

「ああー、できたら八時に」

真志喜が瀬名垣の脇腹を小突く。

「自分で『早めに』と言ったのに、なんだ」

女は着物の袖《そで》で口元を押さえて笑い、

「では八時に居間までおいでください」

と言って障子を閉めた。

「どう思う？」

瀬名垣に声をかけられて、鞄《かばん》から寝間着を引っぱり出していた真志喜は振り返った。端的に答える。

「最低だな」

「ええっ？」

瀬名垣は慌てて真志喜の隣にしゃがみ込んだ。「どうしたんだ。会ったばかりの人をそんなふうに言うなよ」

「なんの話だ」

真志喜は隣の瀬名垣を冷たく見やった。「私が言ったのは、おまえの風呂敷の中身だ」

そう言われて足もとを見ると、茶色い風呂敷がほどけ、中が丸見えになっていた。中からは着替えなどと一緒に、煙草と札束がこぼれている。瀬名垣は気まずげに風呂敷を結び直した。

「僻地《へきち》で重要なのは煙草の確保だぜ？　それに支払いもしなきゃならんし……」

「せめて金は封筒に入れてこい。裸のまま渡す気なのか？」

真志喜は鞄の底から折り目一つない書類封筒を取り出し、畳に滑らせた。「こんなこと

だろうと持ってきて正解だった」

瀬名垣は真っ白い封筒をありがたく押し頂くと、風呂敷包みの上に乗せた。真志喜は寝

間着を腕に抱え、立ち上がる。

「それで？『どう思う？』って？」

瀬名垣は窓辺に座り込み、細く窓を開けて煙草に火をつけた。床の間に置かれていた石

の灰皿を指先で引き寄せる。

「あの奥さんさ」

「綺麗な人だな」

真志喜はさして感情をこめずに言った。瀬名垣は笑う。

「そういうことじゃない。あの人まだ三十代だろ？亡くなった本の持ち主は八十に近か

ったらしい。ずいぶん年が離れている」

真志喜は首を傾げた。

「娘じゃないのか。もしくは息子の嫁さんとか……」

紫煙を吐き出し、瀬名垣は目を細める。

「どうだろうな」

「依頼人の背景を詮索しない、というのがおまえの主義なんだろ」

「それはあくまで基本。最低限の状況ぐらい把握しておかないと、買い付け交渉はうまくいかない。どこから横槍《よこやり》が入るかわからないからな」

そういうものか、と真志喜は部屋から出た。暗い廊下には年月が染み込み、真志喜の吐く白い息をしっとりと壁に纏《まと》う。歩くたびに柔らかく軋《きし》む床板が冷たい。真志喜は知らず知らず早足になって、奥の風呂場を目指した。


翌朝、真志喜はざわめきで目を覚ました。瀬名垣の姿は部屋になかった。慌てて着替えて古書組合のジャンパーを羽織ると、廊下に出る。瀬名垣は廊下の窓のところに立っていた。カーテンに身を隠すようにして、つなぎ姿で表を見ている。煙草を吸うために開けた窓から、外の声がよく聞こえた。

「おはよう」

真志喜の姿を見て、瀬名垣は煙草を携帯用灰皿で消した。「なにやらもめているようだぜ」

真志喜も瀬名垣の体越しに外を覗《のぞ》く。何人かの中年の男たちが口々に何か言っている。それを昨夜の女が必死になだめているようだった。

朝の光の中で見ると、山は集落を押し潰《つぶ》しそうなほどに眼前まで迫っている。地肌に雪を残しているのがわかる針葉樹の山々。家の前を流れる川の音と、澄んだ冬の空。そして車で乗り付けたらしい男たちの声。

真志喜はあくびを噛《か》み殺し、視線を家屋の横に向ける。そこには立派な白壁の蔵が建っていた。

「あれの二階かな」

真志喜の言葉に、瀬名垣も身を乗り出す。

「ああ、そうだろう」

「江戸川乱歩《えどがわらんぽ》が執筆でもしていそうな雰囲気だ」

嬉《うれ》しそうに笑う真志喜の髪の毛を、瀬名垣は指先で整えてやった。真志喜が眉《まゆ》をひそめる。

「ところかまわず私の髪の毛に触るのはやめろ。だれかに見られたら変に思われる」

「好きなんだよ」

と瀬名垣は笑った。「この猫の毛みたいな感触が」

腕時計を確かめるふりをして、真志喜はさりげなく瀬名垣の指から離れると、居間に向かった。瀬名垣ものんびりと後に続きながら、もう一度表の騒ぎを見やる。

「蔵書を見せてもらえるかどうか、微妙な雲行きだぞ。どちらかというと乱歩よりも横溝《よこみぞ》正史《せいし》の世界だな」

通りがかった近所の人まで参入して、庭にはけっこうな人だかりができていた。真志喜はため息をつく。

「旧家の財産をめぐる血族の争い？　いまどき流行《はや》らないよ」

居間の炬燵に入った二人に、昨夜の女はかいがいしくなめこのみそ汁をついだ。なめこの好きな真志喜は、ひたすら食事に専念する。仕事を受けた瀬名垣は、優雅に朝飯を食べているわけにもいかない。

「どなたかお客様ですか」

梅干しを口に放り込みながら、さっそく探りを入れる。女は今日は寒梅の柄の着物を着ていた。水墨画のような灰色の地に、白梅がところどころ染め抜かれている着物は、不幸に遭ったばかりの彼女によく似合っていた。

「朝から騒がしくてすみません。でもお気になさらないで。町に住む親戚《しんせき》がやって来たのです。古書の買い付けの様子を見たいと申しまして」

「見て楽しいものではないと思いますが……」

瀬名垣は苦笑して、真志喜に視線をやる。真志喜は茶碗《ちゃわん》からちらりと目を上げ、軽く肩をすくめてみせた。しばらく沈黙が落ちる。茶の入った湯飲みを口に持っていきつつ、真志喜はまたもあくびを嚙み殺した。女は瀬名垣にも湯飲みを差し出した。

「昨夜はよくお休みになれました？　部屋が寒かったかしらと気になってたんです」

「いえ、熱いぐらいでしたよ」

瀬名垣は湯気を顎《あご》に当てつつ、澄まして答えた。炬燵の中で、真志喜の強烈な蹴《け》りがスネに入った。声も上げずに突っ伏した瀬名垣に、女は慌てる。

「まあ、どうなさいましたの」

「こいつは猫舌のくせにいつもせっかちに茶を飲もうとするんです。自業自得ですから放っておいてください」

真志喜は冷たく言って立ち上がり、女ににっこりと笑いかけた。「蔵を拝見する前に、故人にご挨拶《あいさつ》したいのですが」

「ありがとうございます。どうぞ、こちらです」

真志喜は女の後に付いて居間を出、襖《ふすま》のところで瀬名垣をにらみつけた。

「さっさと来い、瀬名垣」

「いつ俺は猫舌になったんだ」

瀬名垣は痺《しび》れたように痛むスネをかばいつつ、炬燵から這《は》い出た。

仏間で遺影に手を合わせる。仏壇には途切れることなく線香が焚《た》かれ、冬だというのに新鮮な果実がたくさん供えられていた。岩沼巌重郎《がんじゅうろう》は名前のごとくいかつい顔立ちで、黒い額の中からこちらを見据えている。どう見ても七十代の後半のようだ。真志喜は静かに手を合わせている女をうかがい、厳重郎との関係に改めて若干の好奇心を覚えた。

ふいに襖の外がざわめき、どやどやと中年の男女が入ってきた。先ほど前庭でなにやら女と言い合っていた一団だ。彼らは振り返った瀬名垣と真志喜を値踏みする目で眺め、フンと鼻を鳴らした。

「美津子《みつこ》さん、こりゃあいけない。こんな若僧にまともな査定などできるわけがありません」

一番年かさの男がどっかりと仏壇の前に座り込む。一目で血のつながりを確信させる顔立ちの男女がそれにならった。

「まあ、仁《ひとし》さん、そんないきなり失礼なこと……」

女は困惑した体で、自分より二十は年上の男をなだめようとした。「こちらは瀬名垣さんと本田さん。どちらも東京の古本屋さんです。わざわざ来ていただいたのに、そんなことおっしゃっては……」

若さを侮られるのはいつものことなので、瀬名垣と真志喜はなんら痛痒《つうよう》を感じない。聞き流して闖入者《ちんにゅうしゃ》たちに会釈する。女は急いで中年の男女を紹介した。

「こちら、岩沼の息子と娘で、仁さん、国男《くにお》さん、良子《よしこ》さんです」

いずれも五十前後だ。当然三人とも、女よりもずっと年上だった。瀬名垣が正座していた足を崩すついでに、真志喜の耳元に囁《ささや》いた。

「やっぱり『美津子さん』は巌重郎の後妻かな」

「みたいだな。面倒な依頼を受けたものだ」

瀬名垣は何も反論できず、後頭部を掻いた。仁が煙草を吸いはじめ、瀬名垣も無性に口寂しくなったが、真志喜はきっちり正座したまま巌重郎の子供たちと対峙《たいじ》している。しかたなくつなぎのポケットにやった手を下ろした。

「瀬名垣さんとやら、おいくつですかな」

「二十五です」

良子はハンカチを口元に当て、

「若いわねえ」

と顔をしかめる。「私の息子とそう変わらないじゃないの。経験がものを言う世界なんでしょ。大丈夫かしら」

国男が女に食ってかかる。

「だから古本屋になど売らずに、図書館に寄贈したほうがいいと言ったんだよ、美津子さん。べつに金に困っているわけでもない。ただあの蔵が空きさえすればいいんだから」

女は黙ってうつむいていた。どうやら巌重郎の子供たちは査定の額について口を出す気はないらしい。瀬名垣はのんびりと言った。

「安心してください。こう見えても俺はもう十年以上、古書の修業をしていますから」

精悍《せいかん》な面立ちの瀬名垣ににっこりと微笑まれて、良子はもじもじと座り直した。瀬名垣は、愛想のかけらも見せずに超然と座っている真志喜を見やる。

「本田などは、生まれたときから古書のことをたたき込まれています。しっかり査定させていただきますんで」

それでも納得のいかないふうの仁と国男を見て、真志喜がようやく口を開いた。

「本のことを思うなら、図書館への寄贈はやめておいたほうがよろしいかと」

仁と国男はそろって真志喜を見つめる。明らかに、それまで真志喜を男か女か判別しかねていた、という表情だ。いくらほっそりとしていると言っても、背もあるし、男の体つきなのだが、年配の男は真志喜の色素の薄い顔立ちに目をくらまされる。真志喜は人形のように体温を感じさせない無表情のまま、着ていたジャンパーのジッパーを白く細い指先で少し下げた。

襟元をくつろげた真志喜は、わずかに儀礼的な笑みを浮かべた口元だけを動かす。

「図書館の蔵書になったら、カバーも函《はこ》も捨てられてしまいます。無粋な印を押され、書棚に並べられればまだ良いが、下手をするとずっと書庫に納められたままですよ。そしてチャリティーバザーのときに、ただも同然で売りさばかれるのです」

仁は目を剝《む》いた。

「まさか。寄贈されたものを、そんなふうには扱わないだろう」

真志喜は嫣然《えんぜん》と微笑んでみせる。

「お役所仕事ですよ？　目録もろくに作らず、バザーに出したり廃品回収業者に安く払い下げることはけっこうあります。現にそういう本がよく古書市場に流れてくる。カバーも函もなく、状態が悪いですから、高くは評価されませんが。なあ、瀬名垣」

「ああ、よくあるな」

真志喜の流れるような言葉を聞いていた瀬名垣が、ゆったりと仁らを視線で撫《な》で、色悪めいた笑みを浮かべて相槌《あいづち》を打ってみせる。美人局《つつもたせ》にふっかけられたかのように、仁たちはぼそぼそと相談しはじめた。女はしらっとしている瀬名垣と真志喜を見て、必死に笑いを噛み殺しているようだ。瀬名垣が明るい声で聞く。

「それで、どうなさいますか。まあどうしても図書館にとおっしゃるなら、我々も無理にとは申しませんが」

仁たちは今さら引っ込みがつかないとばかりに、女に促すような視線を向ける。心得たもので、彼女は静かに言った。

「岩沼から蔵書の始末について一任されたのは私でございます。仁さんたちのご意見ももっともとは思いますが、今のお話をうかがいますと、私はやはり専門の古本屋さんにお任せするのが一番かと」

いかがでしょうか、と女は仁たちに話を振った。巌重郎の子供たちは口々に、「仕方がない」「お任せするか」と強がった。

威厳を保とうとするかのように、仁が重々しく咳払《せきばら》いをする。

「しかし君たちだけに任せるのも、あまりにも心もとない」

「どうしても若さがお気に召しませんか」

お世辞にも気が長いとは言えない瀬名垣が、慇懃《いんぎん》無礼に切り返す。その眼光の鋭さに仁はややひるみ、真志喜が慌てて瀬名垣の背中をつねり上げた。

「そこは信用していただくしかないですね」

真志喜の言葉に、仁は腕を組む。

「そうしたいが、私も古本屋に査定を頼むなんて初めてのことだ。何を基準に信じればいいのかわからん」

悪意はなく、ただただ実直な男なのだと、真志喜は仁に対する認識を改めた。

「困りましたね」

真志喜は優雅に苦笑してみせ、背中をさすりながら睨《にら》みつけてくる瀬名垣を完全に無視した。「どうしたら私たちの査定に納得していただけるでしょうか」

仁はしばらく考えていたが、はたと膝《ひざ》を打った。

「もう一人、町から古本屋を呼んではどうかな。親父が死んだときに、私のほうにも一軒、地元の古本屋から打診があった。売るつもりはなかったので断ってしまったが、あの男を呼んで、査定額を比べてみようじゃないか」

女はびっくりしたように話に割って入った。

「私は瀬名垣さんたちに依頼したんですよ。後からもう一軒なんて、そんなどちらにも失礼なことといけません」

真志喜は冷たく微笑む。

「仁さん。私たち古本屋は一人のお客様の本を分け合うということはしないのです」

仁は食い下がる。

「どうして」

「礼儀に反するからです。たとえば、ざっと本棚を拝見して、価値のある本を二冊抜き取り、十万円で買い取ったとします。お家の方は、残った本も引き取ってほしいと当然お思いになり、別の古本屋を呼び寄せる。ところが、残りの本は百冊あっても一万円にしかならない雑本だとしたら？」

「納得できんな」

「でしょう？　前の古本屋は二冊で十万を出したのに、今度の古本屋はケチだ、ということになる。しかし、そうではないのです」

真志喜は目を伏せた。「それは妥当な査定額なのです。私たちは同業者が見た後の書棚を査定するのは控えます。価値のある本はすでに持っていかれてしまっている。残り物を査定するのは損ですから」

　仁はうなった。

「つまり、一つの本棚を二軒の古本屋が査定するのはルール違反というわけだな」

「誰の益にもなりませんから。なるべくすべての本をお引き取りいたしましょう。そのかわり、査定は私どもだけにお任せいただきたい。これが買い付けの鉄則です」

　真志喜と仁のやりとりを聞きながら、瀬名垣はあぐらをかいた膝の上に頬杖《ほおづえ》をつき、鴨《かも》居《い》のあたりを見つめていた。仏間に沈黙が漂い、改めて線香の香りが全員の嗅覚《きゅうかく》を刺激する。

　なにやら考えていたらしい国男が、おずおずと言った。

「ではこういうのはどうだろう」

　真志喜はため息をついて、国男の言葉を封じようと口を開きかけた。瀬名垣が片手で真志喜を制し、国男の提案の続きをにこやかに促した。

「町の古本屋がこの村まで来るのは、どう急いでも昼過ぎになるだろう。あんたたちはそれまでに蔵の本の値を付けてくれんかね。その後、町の古本屋にも同じように査定してもらおう。もちろんあんたたちが古本屋だということは秘密にしておくから」

　それまでは穏やかに説得を試みていた真志喜が、肩に置かれていた瀬名垣の手を振り払って立ち上がる。

「話になりませんね。それで高く査定したほうに売るというわけですか？　もし町の古書店が私たちより高く付けたら、手ぶらで帰れというわけですか」

瀬名垣はついにポケットからくしゃくしゃになった煙草を取り出した。そしてぼんやりと火をつけながら言う。

「真志喜、座れ」

「でも……」

「いいから」

鋭く煙を吐き出して言った瀬名垣に、真志喜は渋々と従う。依頼を受けたのは瀬名垣だ。こうなっては彼の判断に任せるしかない。

瀬名垣はしばらく頬杖をついたまま煙草を吸い、やがて大きくため息をついた。

「このまま帰っても、結局は手ぶらということになる。お申し出を受けるしかないようですね」

「瀬名垣！」

真志喜が非難の声を上げた。「こんな形で、相手の古本屋をだますみたいにして競り行為に巻き込むつもりか」

「大丈夫だ。ばれたところで、ここに買い付けに来てるのは『古書瀬名垣』だ。変なことになってすまないが、おまえは見物しててくれ」

「私はそんなことを心配してるんじゃない！」

真志喜は怒鳴った。真志喜を大人しく冷めた人形のように思っていた仁たちは、マグマみたいに燃えさかるその勢いに気圧《けお》され、固唾《かたず》を呑《の》んだ。

「おまえの評判に傷がつく。そんな真似はやめてくれ。もういいじゃないか。なんだかんだと言って、この人たちは本の値段をつり上げたいだけなんだよ。こんな馬鹿げた提案に乗る必要はない」

瀬名垣は憤る真志喜を優しく見つめ、その肩をなだめるように叩《たた》いた。

「仁さん、町の古本屋を呼ぶのはもう少し後にしてください。そうだな、五時頃に来てもらえるとちょうどいいと思う」

瀬名垣の言葉に仁は頷《うなず》き、電話をかけるためだろう、仏間を出ていった。それを追うように、慌てて国男と良子も立ち上がる。

三人が残されて、真志喜はぽつりとつぶやいた。

「馬鹿だな、瀬名垣。どうしていつも危ない橋を渡ろうとする？　まだ蔵の本を見てもいないんだぞ。こうまでする価値もない雑本ばかりだったら、どうするつもりなんだ」

瀬名垣は笑った。

「おまえも知ってるだろ、真志喜。俺は運がいいんだ。勘が告げてる。大丈夫だ」

真志喜は、仁らが使った座布団を片づけている女をちらりと見やり、やや声をひそめる。

「卸だっていうだけで白い目で見る奴もいるのに……わざわざ足もとを掬《すく》われるようなことをしなくてもいいだろう」

「俺はもともと『せどり』の息子だ。お綺麗な真似ばかりなのは性に合わねえよ。隠れた競り買い、面白いじゃねえか」

真志喜の瞳《ひとみ》に影が宿った。

「そんなふうに言うな。瀬名垣は立派な目利きだ。梅原《うめはら》さんをはじめ、みんな知ってる。いつまでも過去のことにこだわって、おまえを評価しないのは一部の頭の固い奴らだけだよ」

真志喜は唇を嚙みしめて、何かを必死にこらえた。「それなのに、そんなふうに自分で自分を貶《おとし》めるようなことを言ってどうする？」

真志喜の悲しみと悔しさが伝わってきて、瀬名垣は苛《いら》立《だ》った。真志喜に後ろめたさを感じてほしくないのに、たまに瀬名垣は自虐的な言動を取ってしまう。それが瀬名垣自身はもとより、真志喜をも深く傷つけるとわかっていながら、だ。

いや、俺は俺の言葉に傷つく真志喜が見たいのかもしれない。あの日に呪縛《じゅばく》されているのは俺だけではないと、確かめたいのかもしれない。

己れの稚気に歯嚙みしながら、瀬名垣は勢いよく立ち上がった。

「奥さん、蔵を見せていただけますか」

女は申し訳なさそうに深く頭を下げた。

女に案内され庭に出た二人は、気まずく黙ったままだった。庭の土は多少ぬかるんではいるが、雪は片隅に寄せられていた。見慣れぬ人間に興奮した鶏が、威嚇の声を上げて走り寄ってくる。女は「シッ、シッ」と凶暴な鳥を追い払いながら、「ゴン、ミール」と飼い犬の名を呼んだ。すぐに、黒い犬と白い犬が狛犬《こまいぬ》よろしく並んで駆けてくる。犬は心得たもので、瀬名垣と真志喜の横にそれぞれピッタリと寄り添い、襲撃に備えて鶏たちを威圧した。

「この子たちがいなかったら、この庭が村で一番の危険地帯なんです」

女は困ったように笑った。「玉子を採れるのはいいのだけれど、鶏がこんなに凶暴な生き物だとは知りませんでしたわ」

真志喜は傍らを歩く賢そうな面立ちの白犬の頭を撫でた。白犬は誇らしげに前を見据えたまま、尻尾《しっぽ》を振ってみせる。瀬名垣はその様子を眺め、自分の横を行く黒犬を見下ろした。犬もちょうど瀬名垣を見上げていて、視線が合ってしまう。ちょっと鼻のつぶれた、どう頑張っても可愛いとは言いがたい顔つきの犬だった。瀬名垣は女の背中に問いかける。

「奥さんは村の方ではないんですか」

「ええ。私は町から参りました」

女は蔵の鍵《かぎ》を開けた。わずかな黴《かび》のにおいが漂う。使っていない農作業の道具やら簞笥《たんす》やら食器やらが雑多に詰め込まれているのが見える。側面にある明かり取りの窓のためか、蔵の中は思いがけず見通しが利いた。

「岩沼と結婚するまでは、鶏の玉子の取り方一つ知りませんでした」

一瞬、女は寂しげにうつむき、すぐに気を取り直したように蔵の中に分け入った。瀬名垣と真志喜も後に続く。犬は大人しく蔵の外に座っている。

「いちおう今朝、空気の入れ換えをしたのですが。暖房は必要ですか？」

「動きますから、どうせすぐに暑くなります」

蔵の二階へと通じる、梯子《はしご》に毛が生えたような階段までは、埃《ほこり》一つなく片づけられて道ができている。女が瀬名垣に査定の依頼をした後、念入りに掃除して準備していたことがうかがえた。

女は着物の褄《つま》を取って、ぎしぎしと鳴る階段を上る。二階は思ったよりも天井が高く、壁に沿って作りつけられた書棚には整然と本が並んでいた。

「これはすごいですね」

瀬名垣はぐるりと見回して感嘆する。真志喜は文机《ふづくえ》に、ついさっきまで主がいたかのように、原稿用紙と万年筆が出ていることに気づいた。膝《ひざ》をついてよく見ると、台本のようだ。女がそっと言った。

「岩沼はここで倒れたものですから。まだそのままにしておりますの。今日、この本たちが運び出されたら、私も心に一区切りつけることができるかと思って」

瀬名垣はだいたいの本の数を数え、当初の予想と内容も冊数もそう大きく外れていないことを確かめた。

「奥さん、どうしますか。これなら昼過ぎまでに、査定しつつ本を外に運び出すことも可能です。町の古本屋には、蔵の外で査定してもらいますか」

「そうですね。この蔵は、仁さんたちと話し合って、取り壊すことにしたんです。運び出していただければ助かりますわ」

真志喜は文机のそばから立ち上がり、瀬名垣と大まかな手順を相談した。どちらも目を合わせようとはせず、本ばかりを見つめている。

「荷造り紐《ひも》を荷台から取ってくる」

「ああ、頼む」

「軍手は持ってるのか、瀬名垣」

瀬名垣は振り返りもせず、尻《しり》ポケットから出した軍手を振ってみせた。真志喜はため息を押し殺して階段に向かった。女も後を追う。

「本はひとまず、庭に面した座敷に運び込むようにしてください」

真志喜は頷き、階段を降りる女に手を貸して蔵の外に出た。さすがに外の光が眩《まぶ》しく感じられる。ゴンとミールが二人の護衛役を自らに任じて寄り添った。軽トラックの荷台から紐を取り出す真志喜を待ち、女は日当たりのよい座敷を示した。

「この部屋です。庭のほうから直接運び込めるし、ここが一番便利だと思うんですが」

「畳が汚れるといけませんから、新聞紙を敷いておいていただけますか。積み上げるので三畳ほどで十分だと思います」

「わかりました」

女は頷いた。そして心配げに続ける。

「あの、申し訳ありません。おかしなことを言い出したせいで、お二人が気まずくなってしまって……」

真志喜は動揺したが、どうやら女に他意はないようだった。薄く笑って、首を振る。

「大丈夫です。子どもの頃から、お互いよく知っている。喧嘩《けんか》などいつものことですよ」

「でも……」

なおも謝罪の言葉を言い募ろうとする女を、真志喜はやんわりと眼差《まなざ》しで制した。

「先ほどの齟齬《そご》の原因は、私たち自身にあるのです。どうぞお気になさらず」

誰に謝ってもらっても、なんにもならないことを真志喜は知っていた。瀬名垣が自分自身を赦《ゆる》さない限り、この罪の連関は断ち切れない。

それとも、私自身が瀬名垣を赦していないのだろうか。赦さずに、彼をいつまでも過去に縛り付けようとしているのだろうか。

　真志喜は突然、喪失の痛みをやりすごし、過去に区切りをつけようとしている女に、何かを聞いてみたくなった。

「……どうして、あの蔵書を図書館に寄贈なさろうとは思わなかったのですか」

　女は面食らったようだったが、丁寧に答えてくれた。

「蔵の二階をご覧になったでしょ。あそこはあの人の脳みそも同然です。あそこにある本が、そのままあの人の知識となり感性となり思考回路となった。どんなに脳みそを解剖するよりもたしかに、あの人の脳の中身があそこに形になっています」

　女はうつむいた。真志喜の角度からだと、彼女が微笑んでいるように見えた。

「だから私は、あの人の蔵書を徹底的に分散させてしまいたいの。図書館にまとめて寄贈？　とんでもないわ。そのまま永遠に動かされず、暗い書庫の奥で朽ち果てていけというの？」

　庭に面した窓を開け放った座敷に腰かけ、女は真志喜を見上げた。その表情には、微笑みのかけらもなかった。

「私はね、本田さん。あの人のすべてを私だけのものにしてしまいたいのです。私のことだけ」

と言って女は自分の胸にそっと手を当てた。「あの人についての記憶が封印されていればそれでいいの。他の誰にも、あの人の脳みそを渡したりはしない。細胞レベルにまで粉々にして、原型を留《とど》めぬほどバラバラに売ってくださいな」

女の頬に、一筋涙が流れた。真志喜は頷いた。

「わかりました。査定額に納得していただけたら、お言葉のとおりに岩沼氏の蔵書を売りましょう。様々な人の手を渡って分散しつつも、それぞれがいつまでも書物としての命を保ち続ける……そんな売り方をしてみせます」

「ありがとうございます、本田さん。不謹慎ですが、お若いお二人がどこまでおやりになるのか、この査定比べが私は楽しみでもあるのです」

女に一礼すると、真志喜は護衛の白犬を従えて蔵へと戻っていった。

瀬名垣はもう、分野別に本を仕分けていた。真志喜も棚に歩み寄りながら問う。

「どうすればいい?」

「そっちの隅から、演劇映画、郷土史歴史、文学、民俗、その他、と分けている」

「内容の吟味は?」

「頭の中だけでやってくれ。あとでおまえと俺とで査定額をつきあわせてみようぜ」

二人とも無言で作業に没頭した。本棚から取り出した本を軽くめくり、状態や価値を判定する。だいたい分類されて本棚に収まっていたから、瀬名垣に指示されたとおりに床に分野ごとに積み上げる。お互いがたまに電卓を叩き、メモを取る。その異様な沈黙に耐えかねるように、積み上げられる本からは細かい埃が舞い上がり、差し込む昼の光の中にきらきらと充満した。

埃は瀬名垣の手元でも、つながりあう相手を求める原子のように、めまぐるしく乱舞する。瀬名垣は本をめくる手を休め、意を決して傍らの真志喜に言葉をかけた。

「思ったよりも状態がいいな。ほとんど日に焼けていないし、カビてもいない」

真志喜は本を縛り上げながら、ちらと瀬名垣を見やり、頷いた。

「蔵に入っている本を見るのは初めてだが、通気性がいいようだ。もっとじめじめしてるのかと思っていた」

「この蔵を壊しちまうとはもったいない」

瀬名垣は掌で本の高さを測り、適度に積み上げると手早くそれをひとくくりにした。そして言葉にするか否かに迷い、成しにくいと思うほうをこそ選択すべきだと判断した。

「さっきはすまなかった、真志喜」

真志喜は作業を止め、床に膝をついていたそのままの姿勢で視線を落とした。

「謝ることではないよ。むしろ、私が……」

懺悔《ざんげ》でもするかのように、うつむいて眉を寄せる。瀬名垣は軍手を外すと、真志喜の髪の毛をくしゃりとかき混ぜ、明かり取りの窓に歩み寄った。

「どうも俺たちは無駄な遠回りをしているな」

煙草に火をつけながら独り言のように呟《つぶや》く。真志喜は何も答えなかった。

どうすればいいと言うのだろう？　「気にしていない」「昔のことだ、忘れよう」とお互い口に出したら、それが未《いま》だに忘れていないことの証《あかし》になってしまうのだ。核心に触れ合えぬまま、それでも交互に恐る恐る手を差しのべる。古代の罪の判定法みたいに。煮えた湯に手をつけて火傷《やけど》をしなかった者は、罪を犯していないのだ。瀬名垣も真志喜も、もう十年以上も、煮えた釜《かま》のまわりを巡っている。どちらかが意を決して熱湯に手をつけようとすると、もう一人が慌ててその手をつかみ止める。沸騰した湯に触れて、火傷しない者がいるだろうか？　罪を犯していない者が、はたしているだろうか？

真志喜はまた、本をくくる作業を黙々と続けた。

結局のところ、私はこの共犯関係をできるだけ持続させたかったのだ。罪悪感を取り除いて、それでもなお瀬名垣が私を求めてくれることを望む気持ちと同じくらい、私はこの状態の維持をも望んでいたのだ。

だがそれももう限界に近づいている。沸騰して溢《あふ》れ出しそうな湯の中に漂うものを直視して、湯を煮えたたせているものを取り除かなければならない。

火傷をしようとも、いつかは。

瀬名垣から見ると、『無窮堂』の父子関係はいささか変わっているように感じられた。真志喜の父親は本田翁《おう》に一定の距離を持っていて、本田翁に可愛がられている自分の息子を疎んじていた。それは息子に対する嫉妬《しっと》だったのかもしれない。あからさまにはしなかったが、本田翁はたしかに、自分の息子より孫のほうにより古本屋としての才があることを見抜いていた。瀬名垣は子どもの頃、真志喜の父親が苦手だった。みんなが集まっていても、一人で本を仕分けているような男。普段は近寄ることを拒絶しているくせに、気分次第で真志喜を叱《しか》りつける男。いくつになっても、どこかで父親の意向をうかがっている男。

二代目は焦っていたのだろうか、と今になって瀬名垣は思う。

真志喜の父親は、老舗《しにせ》の跡取りでありながら、あの家に居場所がなかったのかもしれない。父親の期待に応《こた》えようと励んできたのに、息子である真志喜のほうが古本に愛されている。わけのわからない「せどり」の親子が頻繁に出入りする。

真志喜の父親が哀しいのは、それでも古本の世界を捨てられなかったところだ。古本を愛していたからなのか、この狭い業界しか知らなかったからなのか、それはわからない。本田翁が自分にあまり期待していないと感づいても、瀬名垣親子が真志喜と共に古本についての知識を教わっているのを見ても、真志喜の父親は「我関せず」とばかりに、黙々と本を仕分けていた。

俺が彼の立場だったら、とっくに古書業はやめて、別の生き方をするがな。

瀬名垣は苦く思う。自分の父親の顔色をうかがい、自分の息子に嫉妬して毎日をすごす。才能がないのは明らかなのに、家業だからと跡を継ぐ。どれもさぞかし苦痛なことだろう。もしかしたら子どもの頃の瀬名垣は、真志喜の父親をどこかで馬鹿にしていたのかもしれない。能力もないくせに自尊心だけが肥大した、真志喜をいじめて憂さを晴らしている嫌な奴。そんなふうに真志喜の父親を疎んじて、心の中で見下していたのかもしれない。瀬名垣はまだまだ「子ども」だったのだ。

真志喜の父親が本当は何を感じ、何を考えていたのか、今となってはわからない。これからもう、知る術《すべ》はないだろう。彼との道は永遠に分かたれてしまった。だがはっきりしていることも二つある。彼が必死にしがみついていた「家」から、無惨にも彼をはじき出したのは瀬名垣だということ。そして、黄昏《たそがれ》の中に消えていくとき、彼が真志喜と瀬名垣に呪縛《じゅばく》をかけたということだ。

未だに二人はがんじがらめになって、まっすぐにお互いに向き合えない。それぞれの負い目と罪悪感。

それでもまだ離れられない、離れたくないと思うたびに、瀬名垣は真志喜の父親の気持ちが少しわかるような気がするのだ。

彼も思っていたのだろう。古本の道を諦めたくない。それを生業《なりわい》にしている家から離れたくない。才能がない、と家族からつまはじきにされたくない。

離れたくない、と真志喜の父親も思っていたにちがいないのだ。だから彼はしがみついていた。

報われることがないと、わかっていても固執してしまう。

そのことを瀬名垣は、子どもの時ほどには屈辱的だと思わなくなっていた。

「奥さんは一冊も手元に残さないつもりかな」

新たな一歩を容易に踏み出せないからには、いつもどおりを装うしかないことは瀬名垣にもわかっている。瀬名垣は仕分けた本を階段のそばまで運び終え、額の汗を拭《ぬぐ》いながら空の本棚を眺めた。真志喜は机の上に寂しく取り残されている原稿用紙を手に取る。

「私は故人の好みがなんとなくわかったよ。たぶん奥さんの趣味でもあるんだろうけれど」

「というと？」

「巌重郎さんは西洋演劇が好きだったらしい」

「そうだな。演劇というから地芝居かと思ったら、翻訳台本ばかりだ」

真志喜は手に持った原稿用紙をわさわさと振ってみせる。

「これも台本の翻訳だ。趣味が高じて、自分でも訳してみるほどだったんだ」

ふむ、と瀬名垣は考え込んだ。

「それじゃあ、奥さんが一冊手元に残すとしたら、巌重郎の愛した西洋演劇関係の本のうちのどれか、というわけだな」

「たぶんね」

真志喜の余裕の顔を見て、瀬名垣は傍らに積み上げられた本の山を眺める。

「なんだ、もう見当はついているんだな、真志喜。どれだ。教えろよ」

真志喜は笑った。

「まだ奥さんが残すかどうかもわからないのに……それにあくまで予想だよ」

そのときちょうど階段を上ってきた女が、本の合間から顔を覗かせた。

「お昼の用意ができました。休憩なさってはいかがです」

瀬名垣は待ってましたとばかりに、さっそく階段を降りはじめた。呆《あき》れつつ真志喜も後に続いた。

庭に面した、本を運び込む予定の部屋に座って、二人はおにぎりを食べ、豚汁を飲んだ。女が揚げたての唐揚げの入った皿を持ってくると、庭で寝そべっていた二匹の犬がむくりと起き上がった。

「その子たちにはやらないでください。特にゴンには気を……」

女の言葉が終わらないうちに、瀬名垣は取り皿から肉をかすめ取られた。

「あっ、この野郎……！」

大人げなくいきりたつ瀬名垣をなだめ、真志喜はじっと自分を見つめる白犬に困ったように問う。

「おまえも欲しいのか？」

白犬は女主人と真志喜の顔を見比べ、やがて大人しく引き下がった。

「賢いですね、ミールは」

真志喜は感心して言った。女も頷く。

「ゴンばかりおいしいところを持っていって、ちょっと可哀そうなくらいですわ」

ゴンは澄ました顔で、庭の花に戯れかかったりしている。

「おまえみたいだな、瀬名垣」

「どこが」

「食い意地が張ってて、要領がいいところだ」

「俺はそんな最低な人間じゃないぞ」

瀬名垣は五個目の握り飯に手をのばしつつ、異を唱えた。

「さきほど瀬名垣とも話していたのですが、一冊も本を手元に残さないおつもりですか」

真志喜はもう瀬名垣を放っておいて、女に話しかける。

「未練が残るのもつらいですから」

瀬名垣は唐揚げを口に放り込んだ。

「いいんじゃないですか、未練も。巌重郎さんが本を大切にしていたことは、拝見してわかります。飾るだけでなく、読んでいる。すべてを手放してしまって後悔しませんか」

女は少し考えてから、顔を上げた。

「……そうですね。それでは、お二人が一番良いと思われるものを残してくださいな。午後にいらっしゃる古本屋さんにもそう言っておきましょう。お目の高さを計るには、査定金額だけでは心もとないですから」

瀬名垣と真志喜は顔を見合わせた。

「酷《ひど》いですね、奥さん」

「朝は私たちの味方だったじゃないですか」

「せっかく勝負を拝見するのですもの。それなら、趣向は多いほうがよいでしょう?」

女は楽しそうに笑った。


「女は怖い」

ぼやきながら瀬名垣は本の束を受け取る。蔵の二階から本をすべて運びおろすのはなかなか骨の折れる仕事だった。真志喜は二階の床に腹這《はらば》いになり、階段の中ほどにいる瀬名垣を見た。

「何か言ったか？」

「いいや。あと何束だ？」

「十……いや、十一だ」

「もう一息だな」

手渡された束が崩れないように注意しながら、瀬名垣は蔵の表にそれを運び出した。

協力してすべてを庭に面した座敷に積み上げたときには、二人ともくたくたになっていた。

「これでこの本を買い取れなかったら、私たちの苦労はどうなるんだ」

首の後ろの汗を手ぬぐいで拭いながら、真志喜はぼやいた。

「俺が賃金を払ってやるよ。時給八百円でどうだ」

「この労働でそれはないだろ」

まだ息を弾ませている真志喜は恨みがましげに瀬名垣をにらんだ。そして思いついたように注意する。

「だからといって、『絶対に買い付けられるように』なんて、法外な査定額を提示したりはするなよ」

瀬名垣は座敷の空いたところに仰向けに寝転がり、苦笑した。

「見くびるなよ。俺だってプロだぜ。目先の勝負に目をくらまされたりはしねえ」

真志喜は身を乗り出し、瀬名垣の顔を覗き込むようにする。

「いくらにした？」

「真志喜は？」

いくら気心が知れていると言っても、一つの本棚を査定しあったことはない。お互いの出した評価がそう大きく食い違うとは思っていないが、やはり自分が査定した金額を同業者に言うのにはためらいがあった。

「しょうがないな、同時に言おうぜ」

「え、ちょっと待て」

「せえの」

瀬名垣は大きく息を吸い込み、

「百五十万！」

と叫んだ。真志喜は沈黙している。

「卑怯《ひきょう》だぞ、真志喜！　俺にだけ言わせやがって」

真志喜は呆れたようにため息をついてみせる。

「私は『待て』と言ったぞ。どうして子どもみたいに『せえの』で言う必要がある」

ジャンパーのポケットから愛用の小型電卓を取り出し、手早く計算する。「それに、目をくらまされたりしない、と言ってたわりには高値だな。元が取れるのか」

瀬名垣は腹筋の力で体を起こすと、真志喜に詰め寄る。

「じゃあおまえはいくらと読んだ」

「せいぜい百かな」

ひゃくう？　と瀬名垣は素《す》っ頓狂《とんきょう》な声を上げる。

「そりゃ少なすぎる。この開きはなんだ？　本当に俺たち、同じ人間に付いて古本を学んだのか？」

真志喜は目を伏せて静かに笑う。瀬名垣はこめかみを掻きながら、本の内容を反芻《はんすう》する。

「だっておまえ、『東南諸島民之習俗《とうなんしょとうみんのしゅうぞく》』があっただろ？」

「ああ」

「それから『汀史納戯歌《てしなぎか》』が五巻ともあったし……」

「『アラン・シロセット戯曲集』が全巻揃ってた」

「だろ？　いま挙げたものだけでも買い取り額は十万を超える」

「そうだな」

「なのにどうして百万にしかならないんだ」

真志喜は淀《よど》みなく答えた。

「まずはここまでの出張費と労力を考えなきゃならない。それから、もちろん内容だ」

夕暮れの色を滲《にじ》ませはじめた風が汗を引かせ、真志喜はジャンパーの前を合わせた。

「たしかに良いものもあった。だけど、演劇関係の雑誌のバックナンバーは重いばかりで値はあまり付かない。民俗・文学関係も、全集物は新版や文庫が出ているから、わりと評価は低い。歴史は半分が読み物で、これもほとんど評価なし。郷土史は私はそれほど詳しくないが、引き取り手がすぐに現れるものでもないし……」

瀬名垣はフッフッフッと笑った。

「なんだ、気味が悪いな」

「実は郷土史の引き取り手に心当たりがある」

誰に聞かれるというわけでもないのに、瀬名垣は声をひそめてみせる。「昨日の市《いち》でも少し話題が出ただろう。梅原のじいさまの顧客だから確かだぜ」

真志喜も身を乗り出す。

「どんな話だ」

「じいさまの顧客に変わり者の若い学者がいる。数学だか物理だかが専門らしいんだが、趣味で歴史もやってる」

「珍しいな、そういう人」

「だから変わり者なんだ。それで、彼は今度、自分の生まれ故郷付近の歴史を調べるというのさ。歴史というか、有り体に言えば水銀について知りたがっている」

「水銀？」

「知ってどうするのか、とか俺に聞くなよ」

予防線を張った瀬名垣は、急いで話を続ける。「このあたりは、ずっと水銀の産地だったらしい。だが、『古事記』や『日本書紀』の時代には割合歴史の表舞台に上ることもあったが、それ以降はぱったりさ。つまりは陸の孤島みたいな僻地《へきち》だから、誰からも注目されなかった。有名な貴族も戦国大名もいなければ、交通の要所でもなくこれといった産業もない。ただ水銀を細々と産出していた」

「この辺が、その学者先生の故郷なわけか」

瀬名垣は重々しく頷いた。

「そこでじいさまにご依頼があったのさ。『水銀の採取、運搬の実情について知りたいので、近辺の郷土史を集めてください』とね。さっきぱらぱら確かめたが、どうやらここら一帯の歴史を語るには、水銀を無視することはできないらしいな。どの本にもかなりの記載がある」

真志喜と瀬名垣は黙ってお互いの手を打ち合わせた。

「さて、もう一度査定額を検討してみようぜ。真志喜の指摘ももっともだしな」

真志喜はいたずらっぽく笑った。

「実は私も、言っていなかったことがある」

「なんだよ」

「値が上がるのは困ると思ったんだが、正直に言おう。演劇関係の書籍の半分は、市場《いちば》に出たら私が買い取るつもりだ」

それだけ強気の競り値を付ける、という意味だ。瀬名垣は腕を組んだ。

「ほう?」

「次回の目録にと考えていたものと、面白いほど一致してね。巌重郎さんとは趣味が合うみたいだ」

「それじゃあそれはおまえが持って帰ればいい」

真志喜は首を傾げた。

「市場に出さなければおまえは稼ぎにならない」

「その分の買い取り値段を払ってくれればいいさ。言っただろ、いいのがあったら持っていっていいって」

二人は新たな情報とお互いの見識を突き合わせ、試算して百三十万という額を弾《はじ》き出した。

女が沸かしてくれていた風呂に入り、汗を流した真志喜は散歩に出た。着流し姿で村の中をぶらつく。傍らには、すっかり真志喜の護衛官となっている白犬のミールが付き従っていた。夕暮れの中を、山仕事から下りてくる村の人と行き会う。見慣れぬ真志喜を不審気に見る彼らも、ミールの存在によって岩沼家の客だと知るらしい。会釈をして通り過ぎていく。

「おまえがいてくれて良かったよ」

真志喜の穏やかな声音が心地いいのか、ミールは目を細めてさかんに尾を振った。

山の稜線《りょうせん》を縁取るように、空が薄紅に燃え立ち、山肌の雪すらも赤く染める。鳥が鳴き交わしてどこかに帰っていく。澄んだ川面《かわも》を見下ろすと、どの家が夕食の準備に野菜を洗ったのか、大根の葉が流れにもまれて行き過ぎていった。

山間の村は落日が早い。太陽は山の裏側に隠れ、村は山々の巨大な影にすっぽりと包まれてしまう。あっという間にあたりは薄闇に覆われ、道端に設置された頼りない常夜灯が音を立てて灯《とも》った。風呂で火照《ほて》った身体も、夜の風に急速に冷やされていく。真志喜は小さくくしゃみをし、袖に手を入れて犬を見た。

「もう帰ろうか、ミール」

住み慣れた庭から出て適度な運動をした犬は、満足そうに足を止める。川沿いに上流のほうに向かっていた真志喜は、くるりと向きを変えた。山肌にへばりつくようにして建つ古びた寺から、鐘の音が響いた。五時か、と真志喜はつぶやいた。

岩沼家の近くまでさしかかった時、真志喜は下流のほうから来る車のライトに気がついた。町の古本屋だろう。顔を合わせるのはどうかと思ったが、車はもうウィンカーを出して岩沼家の前に停車している。真志喜は歩みを止めた。真志喜のものより格段に新しい軽トラックから、影が降り立つ。

「真志喜、真志喜じゃないか」

かけられた声に、真志喜は息を呑んだ。身体が小刻みに震えてくる。ミールが心配そうに真志喜を見上げ、くーんと鳴いた。

「お父さん……！」

頭がぐらぐらし、吐き気が襲ってきた。十数年ぶりに見る父は、あの日より年月の分だけ確実に老け、そして相変わらず神経質かつ苦労を知らぬように見えた。

心臓までもが石になってしまったような真志喜と同じく、父親もしばらく立ち竦《すく》んだまま動こうとしなかった。お互いに何かを言おうとしていることが、熱波のように夕闇の中を伝わった。しかし、長い年月を離れて暮らし、ましてや共にすごしていた時から密な交流などなかった親子には、互いの断絶を瞬時に埋め尽くすような言葉など、己れの内部をどれほど探っても見つけられなかった。

無言のまま空《むな》しく呼吸が繰り返され、やがて真志喜は、自分が憎しみからも懐かしさからも程遠い、奇妙に冷え切った虚無感のただなかに取り残されていることに気がついた。ずっと心に刺さっていた大きな棘《とげ》。それを目の当たりにしたのに、この冷たく張りつめた三日月の弦のような静けさはなんだろう。

棘をえぐり取って、傷口から膿《う》んだ汁を絞り出す痛みに怖《お》じ気《け》づいているのだろうか。それとも、棘がなくなった後の空虚を恐れているのだろうか。真志喜はすべての力を振り絞るようにして、もう一度父親を呼んだ。自分の十数年のほとんどすべての時間、心のどこかに存在し続けた人間を呼んだ。

「お父さん」

表に人の気配を感じ取り、女が出迎えにやってくる。真志喜の父親は、しばしの間、黙って息子を見つめていた。成長した真志喜の姿にうまく折り合いをつけられないようであり、苦しげに自分を呼ぶ真志喜の真意を探ろうとしているようでもあった。だが父親も、すぐにお互いの距離を縮めるのに有効な術は持っていなかった。

対峙している二人を見て、女がおずおずと声をかけてくる。真志喜の父親は女に挨拶すると、息子からは注意をそらし、本を積んである座敷に消えていった。

真志喜はその場にうずくまった。緊張を強いられていた筋肉が、鈍い痛みを訴えていた。しばらく犬がまわりをうろうろしていたが、やがて家のほうに走っていく。真志喜は立ち上がることもできずに、顔を掌で覆ってうつむいていた。

五

風呂《ふろ》を使った瀬名垣《せながき》は、黒い革の細身のパンツに例の仏像柄のシャツという格好に着替えた。少し涼もうと家の裏手に出ると、あたりはすっかり夕闇に沈んでいる。壁に寄りかかって、ライターの火をそっと煙草に移す。のんびりと煙を吐き出したとき、闇を横切って白犬が走り寄ってきた。白犬はせかすかのように、撫《な》でてやろうとかがんだ瀬名垣に吠《ほ》えついた。

「なんだよ、ええと……ミールだっけ。どうしておまえ、俺にはなつかないんだ」

言ってからハッとし、瀬名垣は犬に真剣に問いかける。「真志喜《ましき》になんかあったのか?」

一目散に駆けだした犬を、瀬名垣は追った。

門扉のところで真志喜がしゃがみ込んでいる。暗闇の中に、提灯《ちょうちん》に照らされたほのかな姿が浮かび上がって見えた。

「真志喜!」

瀬名垣は駆け寄って、肩をつかんだ。「どうした、具合でも悪いのか」

「知ってたのか」

真志喜の低いつぶやきを、瀬名垣は聞き取れなかった。

「え？　なんだって？」

「知ってたのか、瀬名垣！　知ってて私をここに……！」

「なんのことだ。落ち着けよ」

瀬名垣は力の抜けた真志喜を引きずり上げるようにして立たせ、瞳《ひとみ》を覗《のぞ》き込みながら静かに言う。真志喜の茶色い瞳が揺らぎ、震える息を抑えるように口元を掌《てのひら》で覆った。肩を喘《あえ》がせ、苦しそうに空気を取り込む。

「父が来た……」

瀬名垣は殴られたような痛みを胸に感じた。一瞬天を仰ぎ、真志喜が冗談を言っているのではないかと、あり得ない可能性にすがりつこうとし、そして最後に大きく息を吐いた。

「真志喜……」

もう名前を呼ぶことぐらいしかできなかった。真志喜は引き寄せられるように瀬名垣の腕にすがりつく。こわばって震える身体を強く抱きしめながら、瀬名垣は来るべき時が来た、と思った。

羅生門を通り抜けてではなく、思いがけなくも旅先で、二人の過去が襲撃してきた。受けて立とうじゃないか、瀬名垣は瞬きはじめたばかりの星をにらみつけた。

今夜こそ決着をつけてやる。

二人が家に入り、襖《ふすま》の開け放たれた座敷の前の廊下を通り過ぎようとすると、真志喜の父親が声をかけてきた。

「真志喜、ちょっと来い」

父親は、昔と同じ距離感を保つことに決めたのだろう。まるで昨日まで一つ屋根の下で暮らし、真志喜がいまだ頑是ない子どもであるかのような口ぶりだった。だが真志喜は青ざめてうつむいたまま、言われたとおりに座敷の端に正座する。瀬名垣もその横に陣取った。女が困惑したように両者を見比べる。

「おまえ、古本屋のしきたりに反した競り行為を仕掛けようと画策したな。まったく……」

「真志喜じゃありませんよ。俺が話を受けたんです」

真志喜の父親は言葉を挟んだ瀬名垣に初めて視線をやって、鼻で笑った。

「まだこの『せどり』の息子とつるんでいるのか、真志喜」

真志喜は顔を上げた。頬が怒りのために紅潮している。

「お父さんもお変わりないようで。十数年ぶりに会った息子に言うことがそれですか。勝手に偏見を持ち、勝手に祖父や私を見捨てて家を出る。そうまでしてご自分の矜持《きょうじ》を保ちたいですか」

「やめとけ、真志喜」

瀬名垣が感情的になった真志喜を必死になだめようとする。真志喜は聞き入れずに言い放った。

「その『せどりの息子』とやらに負けたのはどこのどなたです！」

真志喜の父親が立ち上がる。

「このっ……」

「『黄塵庵《こうじんあん》』さん！」

女が必死に間に入った。「『黄塵庵』さんがお怒りになるのももっともです。まさかお三方が知り合いとは思いもよらず……こちらのお二人にも無理を言って、失礼な依頼をした私どもがいけないのです」

今は『黄塵庵』と名乗っているらしい父親は、渋い顔で再び座り込んだ。歳月は彼の容《よう》貌《ぼう》から水気を失わせ、髪にも白いものを混じらせた。

「聞き覚えはある」

瀬名垣は真志喜に耳打ちした。「『黄塵庵』も卸専門の古本屋だ。地方の市《いち》でかなり荒稼ぎしているとか」

真志喜は父親を見据えながら頷《うなず》く。

「おじいさんの葬式にも現れず、一体どういうつもりですか」

古書業界に身を置いていたのなら、本田翁《ほんだおう》の死の情報は当然耳に届いたはずだ。真志喜は悔しさと絶望に歯噛《はが》みする。もしかしてどこかで野垂れ死にしているのではないか、とか、いや、なんとか暮らしていってくれているはずだ、とか、古書以外の世界を知らぬ父親を案じていた。ところが、彼は業界に悠然と身を置きながら、真志喜たち家族を完全に黙殺していたのだ。それほど、縁を切りたかったのか。それほど、『獄記』を掘り出されたことが許せなかったのか。真志喜にはそれが、父親のつまらぬ偏見と自尊心に裏打ちされた傲慢《ごうまん》と我が儘《まま》にしか思えなかった。

父は私を捨てたのだ。水やりを怠った菜園の野菜。それとまったく同程度のものとして、自分の息子すら淡々と断ち切ることができたのだ。あの日、私を一遍たりとも顧みずに姿を消した。それを何かの間違いだと、きっと戻ってくれると信じていた幼い日の私は、一体なんだったんだ……!

本田翁は、死の床で息子の帰還をずっと待っていた。言葉にこそしなかったが、真志喜はそんな祖父の気持ちが痛いほどわかっていた。瀬名垣の父親を心身ともに痛めつけ、祖父を後悔と絶望のうちに死なせ、真志喜と瀬名垣の間に不可触の空間を作り上げた一番の原因は、真志喜の父親にある。真志喜は改めてそう実感し、こみあげる怒りに身を震わせた。

だが、『黄塵庵』は掠《かす》れたような声音で言い募る。

「私の面目をつぶし、『無窮堂《むきゅうどう》』にいられなくしたのは誰だ。そこにいる『せどり』の息子だろう。こいつの無自覚な行為のせいで、私たちの人生はめちゃくちゃになった。それなのにおまえはよくそんな男と一緒にいられるな」

真志喜は口元に暗い笑みを浮かべた。

「無自覚？　まだそんなことを言っているのですか、お父さん。瀬名垣は『無自覚』なんかじゃなかった。あれの価値をわかっていた。『無自覚』で『掘り出す』ことなど出来るわけがないじゃないですか」

瀬名垣は親子の激しい葛藤《かっとう》を、身を切られる思いでじっと聞いていた。女は三人の因縁を感じ取ったのか、静かに座敷から姿を消した。町からの古本屋が来たと知って部屋の外まで押しかけていた仁《ひとし》たちも、女にどう言いきかせられたのか、いつのまにかいなくなっている。

瀬名垣は正面から真志喜の父親を見据えた。

「『黄塵庵』さんが俺を認めたくないのは、よくわかります。でも、俺も今では古書で飯を食っている。この職業に愛着も誇りも人一倍持っているつもりだ。いつまでも『せどり』呼ばわりされては、死んだ父も浮かばれないし、何よりも真志喜の苦しみが終わらない」

真志喜はひくりと肩を揺らし、深くうつむいた。自分の負った傷の治療を一番後回しにするのが、瀬名垣という男だった。それは自分の痛みに鈍感なためではもちろんなく、弱い者を俺が助けなければというお山の大将的犠牲精神ともかけ離れていた。自分の弱さを過不足なく把握し、傷を負う痛みをよく知っているからこその敏感さが、彼にそうさせているのだ。それを臆病《おくびょう》だと嗤《わら》う者もいるのかもしれない。だが真志喜にはそうは思えなかった。それが、真志喜がどうやっても追いつけない、瀬名垣の強さと激しさだと思った。

瀬名垣は傲然と真志喜の父に叩《たた》きつけた。

「勝負しましょう、『黄塵庵』さん。あなたがこの場に登場したのも面白い巡り合わせだ。あの日のように、俺たちは古書の世界の『主《ぬし》』に試されている。どちらの見識が高いか、どちらの運が強いか、そしてどちらがより古書を愛し古書に愛されているか」

「相変わらず生意気な」

『黄塵庵』はやや血の気の失《う》せた顔で、食いしばった唇の間から言葉をほとばしらせた。

「この本を高く買い取ったほうが勝ちというわけか？　馬鹿らしい。これでは匿名性の破られた競りも同然。公正な査定などできるわけがない」

「それをやってみせるんですよ。俺たちはプロだ」

瀬名垣は自信に満ちた態度で言う。「誓って言いますが、真志喜と俺はあくまでも、本の内容を吟味し、価値観と手持ちの情報を基準に査定しましたよ」

「信じられるものか」

『黄塵庵』は吐き捨てた。「だが受けて立とう。古書の世界の『主』だと？　笑わせてくれる……そういえば父も、そんなことを言っていたな」

居間は異様な沈黙に支配されていた。真志喜はうつむきがちに、ゆっくりとご飯を咀嚼《そしやく》している。瀬名垣は豪快な食べっぷりだったが、視線を上げようとしない。並んで座っている彼らの前では『黄塵庵』が、やはり黙ったまま皿に箸《はし》をのばしていた。仁たちは午前中に真志喜の激情を垣間見たためか、危険物の充満した空気に怯《おび》え、三者を等分にうかがった。極力音を立てないように気遣う食事は嚥下《えんか》しにくく、苦い粉薬のようにいつまでも喉《のど》に絡まった。

『黄塵庵』が、「真志喜」と唐突に声を発した。瀬名垣は箸を止め、真志喜は待つことに倦《う》んだ独房の囚人のように、ゆっくりと顔を上げた。

「その後、あれを見たことがあるか」

「いいえ……お父さんは」

「ガラスケースの中で、こんなものかと思うほど小さくて薄かった」

『黄塵庵』はみそ汁をすすり、なんの感情もうかがわせずに言った。血がつながっていなくても、生まれた場所や話す言葉が違っても、目の前に座るこの男とよりはまだわかりあえるだろう。真志喜は父の意図を測ることができずに黙っていた。王墓のように冷たく静まり返っている内とは裏腹に、玄関口では女が犬を呼ぶ柔らかい声が聞こえる。

「ゴン、ミール。ご飯よ」

興奮した犬たちのはしゃぐ物音と、優しく犬に何かを語りかける女の声がひとしきり続く。やがて屋内に戻ってきた女は、土間から『黄塵庵』に声をかけた。

「瀬名垣さんたちにはもう言ったのですが、あの本の中から一冊、一番良いと思われるものを私に残してくださいませんか」

仁たちは張りつめた空気が緩和して、詰めていた息をようやく吐き出すことができた。真志喜の父親が茶碗《ちゃわん》から顔を上げた。

「良いと思うもの？　どういう意味でです」

「その判断はそちらに委《ゆだ》ねますわ」

「それも勝負の一環ですか」

「ええ」

にこやかに答えた女に、真志喜の父親はただ一言、

「わかりました」

とだけ言った。

瀬名垣が気遣わしげな視線を真志喜に投げかけた。真志喜は、すでに自分からは意識をそらしている父親の顔をそっと見て、再び茶碗に目を伏せた。

遠い日に、夕暮れの中に出ていった父親の背中を、真志喜は今もはっきりと覚えていた。いや、むしろ覚えているのは、最後に見た後ろ姿だけのような気がする。菜園での幸せな記憶は、真志喜が自分を慰めるために、いつのまにか紡ぎあげた空しい蜃気楼《しんきろう》のようにも思えた。現に、目を閉じても父の顔を思い出せないことに、真志喜はずいぶん前から気がついていた。

瀬名垣の父親が死んだのは、夏休みになったばかりの暑い一日で、その日も真志喜は『無窮堂』の番台で、古書の発する慎ましい囁《ささや》きを聞くともなしに聞いていた。だから静寂を破って、傍らに放置してあるダイヤル式の黒い電話が鳴ったとき、それが何かの悲鳴のように思えて、真志喜は驚いてあたりを見回した。ようやく音の出所に思い至り、受話器を手に取って耳に当てると、その向こうにはただ無音が広がっているだけだった。

「『無窮堂』ですが。……もしもし？」

聴覚に神経を集中させると、受話器のたくさんの小さな穴を通して、ざわめきが伝わってくる。だがそれが人の気配なのか、電子信号を変換しそこねた雑音なのか、わからなかった。それでも真志喜は正確に、つながった相手を悟った。

「瀬名垣？　瀬名垣だろ。どうしたんだ？」

瀬名垣の声は波のように揺れて、真志喜の鼓膜にそっと触れた。

「忙しいかい、真志喜」

冷気を感じて、真志喜は言葉を飲み込んだ。その暗い予感の裏打ちをするように、瀬名垣は静かに言った。

「来てほしいんだ」

太陽に灼《や》かれ、真志喜の背はすぐに汗で濡《ぬ》れた。水気を吸ったシャツが気持ち悪いと思った。何かべつのことを考えていないと、叫び出してしまいそうだった。のろのろと走る電車に。無表情な顔で埋め尽くされた雑踏に。

小さな部屋で真志喜を待っている瀬名垣のために、自分が呼吸をしなければいけない生物だということも忘れるぐらい、ひたむきに走った。

瀬名垣は古いアパートの一室に、一人で座っていた。その前には彼の父親が、もう呼吸をする生物ではなくなって、夏用の薄い布団に横たえられていた。真志喜は荒い息をなんとか鎮めようと、肺が痛くなるくらい胸に空気を取り込んだ。ふらつきながら部屋に上がり、くずおれるように布団の横に両手をつく。窓を背にした瀬名垣の表情は、暗い流し台のそばからはうかがえなかった。

「ごめんな、おまえ勉強しなきゃならないのに呼び出して」

瀬名垣は高校に入ってから急に背が伸びた。父親の枕元に正座した瀬名垣の影が、太古の昔に滅びた生物みたいに、細長く畳に這《は》っていた。

真志喜はようやく息を落ち着かせ、布団を凝視したままつぶやいた。

「どうして……いつ？」

亡くなったんだ、とは言葉にできなかった。「死」を口にすることで、瀬名垣の父親がもう永遠に起き上がらないことを決定づけてしまうような気がした。

「今朝方だよ。ずっと調子は良くなかったんだ。相変わらず酒飲んでたし」

瀬名垣は足を崩し、

「何か顔にかぶせてやるものなのかな。ドラマとかじゃあ白い布をかけてあるが」

と言った。真志喜はそこで、ようやく瀬名垣の父親の死に顔を直視した。幼い日に可愛がってくれた男の顔は、中年を通り越してすでに初老の人間のものだった。そのあまりの老け込みように驚くとともに、皺《しわ》が刻まれ、日に焼けた顔に浮かぶ、穏やかな表情に安堵《あんど》した。鼻の奥がツンと痛くなる。実の父親よりも温かさを感じさせてくれたのは瀬名垣の父親だった。蟬採りの網を繕ってくれたのも彼だった。泳げない真志喜を瀬名垣と一緒に近所のプールに連れていってくれたのも彼だった。瀬名垣に連れ出され、外の世界があることを知った真志喜を見守ってくれたのは、いつも瀬名垣の父親だった。

あの日、僕は父親を二人、なくしたのかもしれない。

蒸し暑いアパートの一室で、ようやく真志喜はそのことに思い至った。瀬名垣は立ち上がり、押入れを探っている。数年ぶりに対面する瀬名垣の父親は、この暑さで硬直すら通り越して腐敗しはじめている。

　どうやって死を感知するのか、いつのまにか一匹の蝿が天井近くで弧を描いていた。ここで横たわっているのが自分の父親だったとしたら、とぼんやりと考えてみる。考えてみるが、少しも父親の顔を思い出せない。はたして父親の顔をきちんと見たことがあったかどうかも、思い出せない。こうして死という圧倒的な状態を前にして思い出すのは、神経質に真志喜を叱《しか》るときの声と、あの日向けられた背中のみだ。掌のぬくもりも、注がれる眼差《まなざ》しも、何一つ覚えていなかった。動揺し、必死で記憶を探ると、早起きしてクワガタを探しに行ったときの瀬名垣の父親の笑顔とか、溺《おぼ》れそうになった真志喜を支えてくれた手だとか、目前に横たわる死者のぬくもりばかりがよみがえった。

　蝿が死人の頰にとまった。真志喜はそれを左手ではらい、とたんに溢《あふ》れた涙にうろたえて瀬名垣を呼んだ。

　押入れから這い出した瀬名垣は、泣いている真志喜を見てやや驚いたようだった。探し出した布で真志喜の顔を拭《ぬぐ》おうとし、思い直してそれを父親の顔にかぶせる。そして自分のTシャツの胸元で、ぐいぐいと真志喜の顔をこすった。

「ありがとう、真志喜。でも泣かなくていいんだ」

　もう覚悟はできていたんだ、と瀬名垣は自分自身に言いきかせるように、低い声で言った。

　真志喜は永遠に得られなかったものと永遠に失ったものを思って泣いた。そして、自分がかつて父に捨てられたように、父親に去られて一人ぽっちになろうとしている瀬名垣を思って泣いた。

　蠅の羽音が部屋に充満している。瀬名垣の胸元に顔を押しつけながら、真志喜は瀬名垣の涙の気配を感じ取っていた。それは畳に落ちて細かく砕け、その存在を悟られることを良しとしなかった。


『黄塵庵』は二時間ほどで値付けできると請け合った。真志喜と瀬名垣は部屋に戻り、落ち着かない時をすごす。沈黙の濃度を測り、瀬名垣が先に切り出した。

「……すまなかった。勝手に『勝負だ』なんて言ったりして」

　真志喜は部屋の隅に畳んでおいた布団を敷いて、寝転がる。

「あの本の話が出たのは……」

　言葉が途切れ、しばし真志喜は自分の心を探った。「あの本の話をするなんて」

　瀬名垣も畳の上にごろりと横になった。朝から働きづめで体は疲労を訴えているが、脳髄は冴《さ》え渡り、疲れを疲れと認識できないでいる。真志喜の声が夜に降る雪のように静かに耳に届く。

「父は間違えたんだ。掘り出されたのを恥として勉強するか、掘り出されることを徳と割り切るかすればよかったのに、すべてを捨てて逃げ出すなんて。あの人は結局、何も大切じゃなかったのかもしれない。家族も信頼も本への誇りと愛情も……父にとっては、どうでもいいものだったのかもしれないな」

たしかに、と瀬名垣は思う。俺だったら、逃げることなどしない。真志喜のそばから逃げ出すことなど、何があっても考えないだろう。現に、あのときも離れようとはしなかった。父親にきつく戒められ、業界の冷たい視線にさらされ、それでも真志喜と共にいたいと思った。

（それとも、ただ俺が恥を知らないというだけか）

瀬名垣は苦笑した。

「……大見得切ったけど、俺は不安でたまらないんだ、真志喜」

真志喜が腕をついて半身を起こした。

「どうした、おまえらしくもない」

「あの査定額で『黄塵庵』に勝てるだろうか。あの人が破格の値を付けてきたら……」

真志喜は笑い、また寝そべって腕に顎《あご》を埋《うず》めた。

「馬鹿だなあ、太一《たいち》」

瀬名垣は驚いて真志喜を見た。真志喜の色素の薄い瞳に部屋の蛍光灯が反射して、まばたきのたびに網膜の血管の色を映した。

「問題はあの本を買い取れるかどうかじゃないだろ。そりゃあ、いい本だ。奥さんの思いに応《こた》えるためにも、できれば私たちの手で売りに出したい。でも、あの査定額は、損得を考えながらも良心的に付けたギリギリの線だ」

瀬名垣は思わず腕を伸ばして、真志喜の乾いた髪をかき上げ、形の良い眉《まゆ》をなぞり、薄いまぶたに触れた。真志喜は瀬名垣の硬い指の腹の感触を拒まなかった。唇に触れた指にくすぐったそうに身をよじり、仰向けになる。

「私たちは誰に恥じることもない査定をした。それが重要なんだ。父が私たちのはるか上を行く査定額を提示したって、それは私たちの負けというわけではないよ」

囁きは瀬名垣の胸の奥深くまで染みわたる。瀬名垣は目を閉じて、久しぶりに澄んだ雨にあった砂漠の植物のように、それが体中に浸透していくのをひそやかに感じ続けた。

時計の針が十時半を回った頃、女が二人を呼びに来た。

「『黄塵庵』さんの査定が終わりました」

廊下を行くとき、さすがに心臓が痛いほど鼓動していた。真志喜はそっと胸に手を置き、深呼吸する。緊張感を紛らわすために、春になったら菜園に播《ま》く種について、ぼんやりと考えてみたりした。

途中で座敷から、女のための一冊を選んで手に取った。父親も同じ物を選んでいたらどうしようかと危惧《きぐ》したが、その本は他の多数の本と同じく、座敷に残されていた。

まだためらいのあった真志喜は瀬名垣を見た。瀬名垣は肩をすくめてみせる。

「おまえの判断に任せる。俺には見当もつかないからな」

真志喜はうなずき、そして自分が抱えているもう一つの懸念を率直に口にした。

「思い上がりかもしれないけれど、もしも私が奥さんの望みにかなう本を選んでしまったら、父の立場はどうなるんだろう。仁さんたちは、町でこの勝負の顚末《てんまつ》を話すだろう。そうしたら、父はまたこの町からも姿を消して、どこかに行ってしまうんだろうか」

瀬名垣は真志喜を見、真志喜が手にした本を見た。

「なあ、真志喜。俺たちはもう、『無窮堂』の庭で遊んでいたガキじゃない。自分の脚で踏ん張ることもできれば、どこかに歩いていくこともできるんだ。もちろん、真志喜の親父さんだってそうだ」

瀬名垣は、前を行く女が背後の会話には注意を払わないようにしていることを確認して、小声で続けた。「俺は、真志喜には正直に一冊を選んでほしいと思う。もしも、親父さんの行く末を心配して手心を加えるとしたら、それは俺たちの何倍もこの業界で生きてきた親父さんへの侮辱だろう」

真志喜はハッとしたように瀬名垣を見た。

「そうだな……たしかにそうだ」

「万が一、この勝負のせいで『黄塵庵』がこの町から姿を消してしまっても、きっとあの人は古書の世界から身を引くことはしない」

瀬名垣は深い確信をもって請け合った。瀬名垣が真志喜から離れなかったように、真志喜が誠実に本と向き合い続けるように、真志喜の父親も、死ぬまで古書の世界であがきつづけるのだろう。

「真志喜が会いたいと言うなら、どこに身を隠そうと、俺が親父さんを探し当ててやるよ」

だから安心しろ、と瀬名垣は言った。真志喜は選んだ本を、しっかりと抱えた。

夜が深まって、廊下は急激に冷え込んでいた。空気の密度が高まっている。透明な粒がぎゅっと縮こまり、身を寄せ合おうとしているかのようだ。女が開けた襖の前で、真志喜はしばし立ち竦む。『黄塵庵』がこちらを背にして座っていた。仁たちは壁際に座り、やってきた二人を期待と好奇心に満ちた目でせかした。

瀬名垣が真志喜の背に軽く触れる。その一瞬の掌のぬくもりに促されるようにして、真志喜は畳に足を踏み入れた。

正面奥の仏壇を背にして女が座り、瀬名垣と真志喜は『黄塵庵』の横に、女と対峙《たいじ》する形で座した。

仏間に会した一同はしばらく、それぞれの胸の内を駆けめぐる高揚感をじっくりと味わった。やがて、仁が口を開いた。

「それでは、査定額を公表してもらおうか」

女が頷いて、一歩膝《ひざ》を進める。

「ただでさえ、みなさまのしきたりに反することをお願いしております。査定額はこの紙にお書きくださいませんか。付けていただいた値段は私の胸の内だけにしまっておきます」

仁はそれが不満なようだった。

「せっかく夜まで待ったのに、わしらも比べることができんのか」

「奥さんがひいきをしないと、どうして言い切れますか？」

真志喜の父親も苦々しげに言った。だが女は軽やかに笑い飛ばした。

「岩沼の前で、私が不正をするとでも？　それに、蔵書について一任されたのは私です。ここは従っていただきますわ」

瀬名垣と『黄塵庵』は、それぞれ手渡された紙に査定額と屋号を書き込んだ。丁寧に折って、仏壇に背を向けた格好の女に返す。

固唾《かたず》を呑《の》んで見守る中で、女は静かに二枚の紙切れを開いた。見比べ、そして微笑む。

「わかりました。では次に、私の手元に残すべき一冊を出していただけますか」

真志喜の父親は脇に置いていた『汀史納戯歌《てしなぎか》』を前に押し出した。真志喜は膝の上にあった西洋演劇の個人全集の端本《はほん》の一冊を畳に置く。

「どうしてこれをお選びになったのか、ご説明いただけますか」

『黄塵庵』は胸を張って答える。

「これは古書の世界では大変評価の高い本です。貴重な古歌を集めたもので、古典文学全集などにも採録されていない。しかもこちらには全巻揃っている。研究者が常に探している本ですし、手元に置いておけば、これからもっと値上がりする可能性がある。文化的な価値はもちろんのこと、資産としてもいま手離すのは惜しい。取っておいても奥さんの損にはなりません」

「この査定額は、その本を抜いての値段ですか？」

『黄塵庵』は一瞬ためらい、

「そうです、もちろん」

と答えた。女は頷き、真志喜に視線を向ける。

「本田さんは、どうしてそれを？」

読み込まれて古びた半端な一冊を前に、真志喜は確信が揺らぐのを感じた。

父親を追いつめることになるのでは、などと考えていたが、それはとんでもない思い上がりかもしれない。この本を選んだのは、女のことなど何も考えていない単なる自己満足、綺麗事《きれいごと》にすぎないのかもしれない。

だが瀬名垣は相変わらず泰然と構えているし、ここまできたら何よりも自分の感性を信じるしかないのだと、まっすぐに女を見つめた。そして女の背後で推移を見守っているかのような、巌重郎《がんじゅうろう》の遺影を見つめる。そうしていると、静かな確信の炎が再び胸に宿った。

訳しかけの戯曲。可愛がられている犬たち。

「巌重郎さんは、演劇がお好きだった。特に西洋演劇が。そして推測するに、その趣味は奥さんの影響もあって始められたものなんだ」

「どうしてそう思われます？」

「演劇雑誌のバックナンバーです。奥さんがいつ巌重郎さんと結婚なさったかは存じません。でも、息子さんたちとのやりとりからも、奥さん自身の年齢からも、そう昔のことではないと思います。結婚なさってまだ十年たっていなかったのでは、と。演劇雑誌は七年前のものからありました」

仁たちが少し気味悪そうに顔を見合わせた。

「他は、お年に見合ったと言っては失礼ですが、納得できる分野の質と量だ。だが演劇だけが違いました。他の分野の本と違って、まだ集めはじめて日が浅いようだった。全集は揃っていないものもあった。それでも、楽しみながらあれこれ吟味して蒐集《しゅうしゅう》していた様子が伝わってくる」

んだなと思った」
真志喜は一つ息をついた。「これはたぶん、奥さんと共通の趣味で、一緒に集めていた
瀬名垣は真志喜の横顔を見やって微笑む。国男《くにお》は腕を組み、仁はうなった。
「たいしたものだ。たしかに美津子《みつこ》さんと父が出会ったのは七年前だったはずだ」
「そうですよ。私たちはなんだかんだと反対したのに、結局その二年後に結婚しちゃった
んだから」
良子《よしこ》が頷く。その言葉には、もう女を心の奥深くでは一族の一員として認めている温か
い響きがあった。女は懐かしそうに笑う。
「私は町で看護婦をしていたんです。岩沼が入院してきて、私たちはうんと年が離れてい
るのに、なぜだか惹《ひ》かれ合った。私は岩沼に、好きな演劇の話をたくさんしましたわ。そ
うしたらあの人も、いつのまにか興味を持つようになって。一緒に芝居を観に行ったり……
……楽しかったわ」
真志喜の父親は、苛立《いらだ》ったように先を促した。
「それで、真志喜。演劇の本を選んだ理由はわかった。だが演劇だけでも五百冊からあっ
た中で、どうしてその本を選んだ。当てずっぽうではなかろう」
「それなりに理由はあります」
真志喜は穏やかに笑った。虚勢なのかもしれないが、瀬名垣はその笑みを心強く感じた。

残すならたぶん演劇の本だろうと瀬名垣も思っていたが、一冊に絞り込む根拠がなかった。

真志喜の「理由」を、一同が待っていた。

「犬の名前ですよ。ゴンとミール。その名前の登場人物がいる有名な戯曲がある。それがこれです」

真志喜は目の前の『ベケット戯曲全集1』を手に取った。瀬名垣はポンと手を打った。

「ウラジーミルとエストラゴンか。気がつかなかった」

「奥さんはあの二匹の犬をとても可愛がっていらっしゃる。飼い犬の名前にするぐらいだし、思い入れの深い本なのだろうと思いました」

女は『黄塵庵』に尋ねたのと同じ質問をした。

「査定額は、その本を抜いての値段ですか？」

「いえ、残念ながら、この本自体にはそんなに古本的価値はありません。どこの古本屋にも割合ありますし、今は新装版で読むこともできる。だからこの一冊が奥さんの手元に残ろうと他の本の中に紛れようと、査定額は動きません。すみません、査定は悪く言えばどんぶり勘定なところがあるので」

真志喜は気遣わしげに瀬名垣を見やり、彼が頷くのを見て少し安堵した。

女はしばし考えているふうだったが、やがて真志喜の選んだ本を手に取った。

「『黄塵庵』さんも私のことを考えてくださった。でも今回はこちらを選びます。本田さん、あなたは素晴らしい古本屋さんです。あなたと瀬名垣さんになら、私は安心して岩沼の本を託すことができます」

　真志喜の父親は荒々しく立ち上がった。

「馬鹿な。こんな茶番があるか。私のほうが査定額が高いに決まっている。それなのにどうして……！」

　女は呆気《あっけ》にとられたように『黄塵庵』を見上げた。瀬名垣が静かな声で返す。

『黄塵庵』さん、どうしてあなたのほうが査定額が高いと言い切れるんです？　ちゃんと最初の取り決めどおり、本の内容と価値観を基準に値を付けたのですか？」

　真志喜の父親は「当たり前だ！」と怒鳴ったが、しかしその声はわずかにうわずっていた。

　瀬名垣はすでに確信を持っていた。過去においても現在も、古本屋として恥ずべき行為は何一つしていない、という確信を。彼は冷静なまま続ける。

「それに俺は、あなたと同等か、それ以上の値を付けている自信がありますよ。ここの本は、相場よりも高く売る当てがある。顧客の開発と確保も古本屋の重要な仕事ですからね」

「この『せどり』風情が……！　大きな顔で市《いち》に出入りするのもずうずうしい」

「やめてください、お父さん」

なおも言い募ろうとする父親を、真志喜は少し苦しげに遮《さえぎ》った。「あなたも私も、問題をすりかえている。すりかえて、瀬名垣を長く苦しめている」

瀬名垣は真志喜の言葉を押しとどめたいような、しかしその声に包まれていたいような、複雑な思いに駆られた。長らく触れることのなかった柔らかく過敏な部分に、ついに真志喜は手をのばそうとしている。

「ずいぶん久しぶりに会ったんです。私はお父さんと話がしたい。仕事の話ではなく」

真志喜は目を閉じ、自分の中の大切なものを差し出すようにそっと言った。『黄塵庵』は真志喜の静かな声に引き寄せられるように、再び腰をおろした。

「庭の菜園を覚えていますか？　あなたと一緒に作ったはずだ……」

それは、真志喜が是非とも確認したかったことだった。この記憶が、願望が作り出したはかない夢なのかどうか、はっきりさせないことには、真志喜はもう一歩も動けないような気がした。

しかし『黄塵庵』にとっては、突然再会した息子の心中《しんちゅう》など、うまく思いやれるものではなかった。彼が息子のもとを去ったとき、真志喜は、その内面に「心中」などというものが存在するのかどうかも疑わしく思われるほど、幼い生き物だったのだから。

「ああ、覚えている。私が菜園を作っている間、父は苦い顔をしてそれを見ていたよ。よく覚えている。だがそれがどうした？　私たちは『無窮堂』に生まれてきたんだぞ。あそこで菜園を作ったとして、それが何になる。無駄なことをしたものだ」

ちがう、と真志喜は思った。祖父は微笑んでいた。真志喜も幸せだった。無駄なことではない。むしろ、『無窮堂』に暮らしていた誰もが、ああいう時間を望んでいたはずだ。

だが、方法がよくわからなかった。古書に魅入られ、囚《とら》われた男が三人、一つ屋根の下に暮らしていた。彼らはどうやって自分の心を示せばいいのか、滑稽《こっけい》なことに誰も知らなかったのだ。それでも、家業を媒介に辛うじてつながっていた。あの日まで。

真志喜は岩沼家の人々がいることも忘れ、必死で言い募った。

「おじいさんは苦い顔などしていませんでした。私たちを見て笑っていた」

「おまえを見て、だろう。父は仕事一筋の人間だったからな。真志喜には古本の才があると、えらく可愛がっていた」

どう言葉を尽くしても、真志喜と父親との間には分厚い認識の壁がある。真志喜はまた、この家の前で父親と再会した時のような、冷たい虚無に自分が浸されていくのを感じていた。指先の感覚がなくなり、凍えた。それでもまだ、絡まりそうになりながら舌は言葉を紡いでいく。

「私はずっと考えていました。いつか再びあなたに会うことがあったら、聞かなければならない、と。聞いてももう、なにもならないだろうことはわかっているのです。でも私は飽かずこのことを思っていた。心の中で傷が膿《う》んで、鈍く痛み続けるからです。ようやく乾燥してふさがりかけても、何かの拍子ですぐにえぐって、傷を探らずにはいられないのです……お父さんの言葉を聞くまでは」

真志喜は自分の膝元を見つめていた。まるで畳の目に答えが落ちているとでも言うように。『黄塵庵』は瀬名垣の隣で腕組みをしたまま、身じろぎもしない。仁たちはわけがわからないながらも、黙って推移を見守っていた。瀬名垣は真志喜と『黄塵庵』に挟まれる形で、真志喜の言葉に心を傾けた。

「傷が傷として残っても、それでもいいと態度で示してくれる人がいます。それはやがて傷ではなく、私の、私だけの模様になるのだ、と……だから、この機会が最後になるだろうし、聞くのです。どうして私とおじいさんを捨てたんですか？」

瀬名垣は祈るような思いで、『黄塵庵』の声に耳を集中させた。長く感じられる沈黙の後で、ようやく『黄塵庵』が口を開いた。

「捨てたのはおまえたちのほうだろう。あの家に私の居場所があったことなど一度もない」

「……私はあの日まで、崩壊の種に気がつきませんでした。それはいつでも私たちの間にあって、息をひそめていたのに」

「私は矜持を傷つけられつづけ、それでもなお、あがいていた。あの日まではな。必死に才能を磨こうとしたし、自分の息子を愛そうとした。だが結果的には、父はおまえを選んだし、運もこの男を選んだ」

『黄塵庵』は皮肉っぽい笑みを浮かべて瀬名垣を見やった。その笑いはしかし、『黄塵庵』自身に向けられたものだ。彼はすぐに視線を虚空に戻した。

「どこに決定的な違いがあるのか、ずっと考えていた。選別が何によって決められたものなのか、考えずにいられる人間がいるか？」

『黄塵庵』の口調は淡々としていた。「あの日、すべてが馬鹿らしくなった。それが天分というものに基づくとしたら……」

瀬名垣はとぎれた言葉に、『黄塵庵』の味わったむなしさと誇りとを感じた。それでも古書の世界から離れられない、真志喜の父親の哀しみと憤りとを感じた。

真志喜の問いかけに答えたこと自体が、『黄塵庵』の中にある息子への愛情の表れなのだ。それがどんなに仄《ほの》かで、存在すらも疑わしいほど弱々しい表現だったとしても。しかしそれはたぶん、真志喜にはうまく伝わらないだろう。真志喜は本田翁によって創りあげられた、古書への最高の捧《ささ》げ物だ。真志喜が求めているものと、真志喜の父親が求めているものは乖離《かいり》しつづける。お互いに喪失した部分が違うからだ。瀬名垣は鋭い痛みを感じて、膝の上で拳《こぶし》を握りしめた。

真志喜は細く息を吐き、目を閉じた。

「もう一つ聞かせてください。一度でもいいんです。おじいさんと私があなたを待っているのではないか、と考えたことはなかったですか？」

「なかったな」

強がりでもなく、『黄塵庵』はあっさりと言った。真志喜はやるせない笑みを浮かべた。瀬名垣が何か言おうとするのを振り切って、真志喜は自分にとどめを刺そうとする。

「一度も？」

「ああ」

真志喜は目を開けた。無駄だとわかっていても、言わずにはいられなかった。

「でもおじいさんは、お父さんをずっと待っていましたよ。私も」

一瞬の間をおいて、早口で言い切った。「待っていた」

過去形の言葉が、この話の終わりを告げていた。真志喜は、正面からやりとりを受け止めていた女を見つめる。

「個人的なことでご迷惑をかけました」

立ち上がり、瀬名垣を振り返る。「本は今夜のうちに積めるだけ積むのだろう？」

その声と息は、瀬名垣だけがわかるぐらいにわずかに震えていた。真志喜の望みを読みとって、瀬名垣もすぐに立ち上がった。

仏間を出ようとした真志喜に、『黄塵庵』が鋭く声をかけた。

「待て、真志喜」

真志喜は足を止めた。息子の背に向かって、『黄塵庵』は堰《せき》を切ったように言葉をぶつけた。

「私が待っていなかったとでも言うのか。私だって待っていた。認められる日を、迎え入れられる日を、いつだって待っていた」

真志喜はわずかに震えながら、振り返って座敷に身を向けた。父親は拳を強く握りしめ、元の場所に座っていた。

「おまえは私を探したか？　父はどうだ？　探しはしなかっただろう。それはなぜだ。私はいつだってこの業界に身を置いていた。だが、おまえは私に気づこうともしなかっただろう」

『黄塵庵』はもう一度、静かに言った。「私もずっと待っていたんだ、真志喜」

ああ、そうか、と真志喜は思った。そうだったのか。その思いはすとんと腹のあたりに落ちた。しかし、すべてが遅すぎたことも、真志喜にはよくわかっていた。だから真志喜は、まっすぐに父親を見て告げた。

「あの夕暮れの中で、あなたに背を向けられたときから、私は動けなかったんです。あなたは、それでも迎えに来いと言うかもしれない。それでも求めろと言うのかもしれない。でも私はあの時、まだ十一の子どもだった。拒絶されたと知って、身が竦《すく》んで動けなくなった……」

真志喜はわずかに笑みすら浮かべてみせた。

「菜園は今も緑で溢れています。さようなら、お父さん」

暗い廊下でこらえきれず零《こぼ》れた感情の痕跡《こんせき》を、瀬名垣だけが知っていた。

『黄塵庵』と仁たちは夜のうちに町に戻っていった。真志喜と瀬名垣は、客間でそのざわめきを聞いていた。

「いいのか？　見送りに行かなくて」

「いいんだ」

真志喜は窓から家の裏手を見つめていた。山はすぐそこに迫っているはずなのに、空間に限りない奥行きがあるかのように外は真っ暗だった。

「ありがとう、瀬名垣。もう大丈夫だ。父に対しても自分に対しても失望があるけれど、こんなものかとも思う」

真志喜は、諦《あきら》められない、諦めたくないと思っていても、諦めたふりをする。ふりを続けることによって、自分は本当に諦めたのだと思い込もうとする。それが彼の自己防御のやりかただったし、周囲の人間への思いやりの示しかただった。いつも諦めたくない己れを自覚している瀬名垣とは正反対の在り方だ。

諦めた時点で、人の絆《きずな》は終わる。諦めさせてはいけない、と瀬名垣は思った。

瀬名垣と真志喜は女と打ち解けて朝食の席を囲み、二匹の犬と戯れながら、昼頃までかかって宅配便で送る分の本を箱詰めした。

そして今、二人は荷台に本を満載した軽トラックに、ようやく乗り込もうとしていた。

「いろいろご迷惑をおかけしました。面倒なことを親切に引き受けてくださって、感謝しております」

丁寧に頭を下げる女の足もとには、いつもどおりゴンとミールが付き従っていた。

「いえ、礼を言うのはこちらです。おかげで良い本を仕入れることができたんですから」

運転席を簒奪《さんだつ》した瀬名垣が上機嫌で答える。真志喜は仏頂面で助手席に座っていたが、しきりに哀しげな鳴き声を上げるミールの姿に、ドアを開けた。

「ミール、元気でな」

かがみ込んでひとしきり白い犬を撫《な》でる。最初は別れの挨拶《あいさつ》がすむのを辛抱強く待っていた瀬名垣だが、あまりにも離れがたい様子の真志喜と犬を見て業を煮やした。

「ほら、いい加減にしろ。ますます情が移ってつらくなるぞ」

真志喜の和服の襟首をつかみ、車内に引き入れる。女がミールを抱きかかえるように車から離し、ようやくドアを閉めることができた。

窓から視線を引き剝《は》がし、真志喜は言った。

「行こうか」

「ああ、行こう」

軽トラックがうなり声を上げた。車は尻餅《しりもち》をつきそうによろめき、わずかに後退しかけてから、なんとか車輪を回転させる。女は緩やかに手を振った。ミールのそばに黒犬が寄り添う。瀬名垣は門を出たところで、一回クラクションを鳴らした。女と犬は道まで出て見送ってくれている。真志喜はいつまでも後ろを振り返り、遠ざかっていく岩沼家を見つめた。


荷台にかなりの重量の本を載せて、軽トラックは地面に沈み込みそうになりながら走る。峠の急な上り坂もようやくのことで乗り切ったのだが、さらに危ないのは下りだった。

「なんか、焦げ臭くないか？」

「あまりの重さでブレーキがきかないんだ。めいっぱい踏んでるのに、こいつズルズル滑り落ちていきやがる」

ではこれはブレーキが焼き切れる寸前の臭いなのかと、真志喜はため息をついた。

「これで壊れたら全額おまえ持ちだぞ」

「そんなこと言ってる場合か！　焼き切れたら死ぬぞ、こんな雪の山道で」

ようやく無事に山を下り、高速道路の入り口でチェーンを外せたときは、どちらからともなく安堵のため息をもらした。ところが今度は、いくら床までアクセルを踏み込んでも、軽トラックは頑として八十キロ以上出そうとしなかった。

真志喜は窓を開け、前髪を風に踊らせた。

「ここは高速道路だよな？」

「……ああ、そうだ。頼むから文句は言ってくれるなよ」

車は威勢のいい音を立てているわりに、少しもスピードが上がらない。むなしく黒煙を吐き散らすのみだ。

「こういうのもいいな。なんだか私たちだけ泥の中を走ってるみたいだ」

瀬名垣は少し拍子抜けして、おずおずと既定の事実を提示してみる。

「着くのは夜中だぞ」

「急ぐ旅でもなし、私はべつにかまわない」

真志喜は背もたれに深く身を預けた。「後で運転を代わるよ」

目を閉じた真志喜に、瀬名垣は「代わらんでいい、代わらんで」とぼやいた。

前方を照らすのは軽トラックのヘッドライトだけだった。暗い夜の高速道路を眺めながら、真志喜はつぶやく。

「査定額、実際のところどうだったんだろうな」

真志喜が起きていたことを知った瀬名垣は、ラジオの音を大きくし、交通情報を聞いた。

「都心のほうは少し混んでるな」

「そっちへ着く頃には空《す》いてるよ」

相変わらず煽《あお》られ、追い越されてばかりいる現状を思い出し、

「ちがいない」

と瀬名垣は苦笑した。

「私たちは、父よりも上の額を付けていたのだろうか」

「たぶんな」

軽く流した瀬名垣の横顔を真志喜は不満そうに見た。だがふと思い出して笑いに肩を揺らす。

「それにしても、本が私たちに委ねられたときの父の顔といったら」

瀬名垣が心配そうな視線をよこしたのも無視して、真志喜はひとしきり笑った。「溜飲《りゅういん》が下がるとはこのことだ。あの人はあの日から少しも変わっていない。あれが親だと思うと悲しくなるな」

「自分の父親をそんなふうに言うのはやめろ」

瀬名垣は厳しい声で言った。「真志喜が俺のために憤りを感じているのはわかる。だが、だからといってあの人を憎んでは駄目だ。そんな気持ちは、おまえを不幸にする」

真志喜は笑うのをやめ、言いにくそうに告白した。

「……たしかに、私はあの人の顔など忘れたと思っていた。現に忘れていたよ、再会するまでは。でもあの人の顔を見たとたん、はっきりと思い出した。『そうだ、父はこういう顔だった』ってね」

「そういうものだろう、親子なんて」

「私たちは、変われたのかな」

「すぐにすべてが変わりはしないだろう」

車線が混み合ってきた。瀬名垣は急に割り込んできた車にパッシングする。

「だが、二人で同じ過去に向き合うことはできた」

ためらい、過去に苛《さいな》まれながらも、自分たちが確実に歩き続けていたことを確認できた。

真志喜が浮かべた笑みは、今度は柔らかく満ち足りたものだった。

「そのシャツはやめろと言っただろう、瀬名垣」

六

その細い道の先に、オレンジ色の明かりが灯《とも》った。

足を速めた瀬名垣《せながき》は、農道を渡ろうとして、東から来るトラクターに気がついた。

「たいっちゃん」

「みすずちゃん、元気そうだな」

みすずは慣れた手つきでトラクターを停めた。彼女の傍らには、市役所帰りのところを拾われたらしい秀郎《ひでお》も乗っていた。だが、乏しい光の中で文庫本を開いている秀郎は、トラクターが停まったことにも気づかずにいる。みすずはそんな夫の肩を乱暴に揺さぶりながら、瀬名垣に向き直った。

「どうだったの、このあいだ買い付けた本は」

「市場《いちば》でばっちり売れて、がっぽり儲《もう》けたさ」

「よかったじゃない。『あれからあまり顔を見せない』って、真志喜《ましき》ちゃんが心配してたわよ」

瀬名垣はそれについては特に何も言わなかった。秀郎が本から目を上げた。そしてそこ

に瀬名垣がいるのを見ると、

「本田《ほんだ》との関係は前進したかい」

と当然のように聞いてきた。

「どういう意味だ」

「言葉どおりだよ。何か答えをもらったか」

瀬名垣は苦笑した。

「俺は真志喜にはっきりした答えなど求めていない。そんなのは退屈だろう？」

「瀬名垣は本田に甘すぎる」

秀郎は呆《あき》れたように言い、また本に視線を戻した。

「私はそれがたいっちゃんのいいところだと思うけど」

みすずは明るく断定した。「真志喜ちゃんがいたから、たいっちゃんは道を踏み外さずに今日まで来られたんだよ。そうじゃなきゃ、今ごろうちの旦那《だんな》とヤクザにでもなってたって」

「それも良かったかもなあ、瀬名垣」

「秀郎みたいなハンパな不良にそんな根性あるわけねえだろ」

瀬名垣が切って捨てたとき、『無窮堂《むきゅうどう》』の硝子《ガラス》戸が開き、真志喜が顔を覗《のぞ》かせた。

「さわがしいと思ったら、やっぱりな」

身体を脇によけて、客らしい老夫婦を先に通す。

「三代目、どうもありがとうございました」

「いいえ、よい買い手が見つかって私もホッとしました」

真志喜は控えめな笑顔で応じ、丁寧に頭を下げる夫婦を門のところまで見送った。「こら、みすず。店の前にそんな大きなものを停めるな」

「なによ、真志喜ちゃんの意地悪。いいじゃない、久しぶりにたいっちゃんと会ったんだもん」

そこで初めて真志喜は瀬名垣を見た。

「なんだ、何か用か」

秀郎が哀れむような笑みを浮かべ、瀬名垣は「これだもんな」と肩をすくめた。

「酒、持ってきた。上がってもいいか？」

「駄目と言っても上がるんだろう」

遠ざかっていく老夫婦に会釈すると、真志喜は店のほうに踵《きびす》を返す。「みすずたちも寄っていくか？」

「ううん、遠慮しとく」

みすずはトラクターをゆっくりと発進させた。門をくぐった瀬名垣が、みすずに言った。

「みすずちゃん、その花柄のモンペ可愛いね。今度俺にも作ってくれよ」

「いいわよ」

　硝子戸を開けようとしていた真志喜が、門のところまで戻ってくる。

「秀郎！　そういえば、頼まれてた本が入ったぞ」

「休みの日に寄る」

　秀郎は振り返らずに手だけを振った。牛車《ぎっしゃ》に乗っているような優雅さで、彼らは農道を揺られていった。


「めずらしく客がいたな」

　雑然とした書庫を通り抜けながら、瀬名垣は前を行く真志喜に声をかける。

「田辺《たなべ》さんだ」

「ああ、鮎沢の全集の」

　この書庫で全集を見せてもらってから、もう一月《ひとつき》半が過ぎようとしている。あの買い付けの旅からも、一月以上経過したのだ。なんだか信じられない気分で、瀬名垣は自分の心境の変化を思った。

「それで？　今日はどうしたんだ」

　炬燵《こたつ》はしまわれ、居間には小さな卓袱台《ちゃぶだい》が出ていた。安定の悪い卓に向かい、二人は清酒を空けていく。

「どうもしないよ。おまえに会いたくなったから来た」

酔いのせいではなく、真志喜は耳たぶを染めた。

「ずっと来なかったくせに」

その小さなつぶやきには、変化にとまどう真志喜の怯《おび》えと不安がにじんだ。敏感にそれを感じ取った瀬名垣は、本当に真志喜には甘いなと心の中で苦笑しつつも、明確な「理由」を提示する。

「店を開こうと思ってね」

弾《はじ》かれたように真志喜は顔を上げた。真志喜がそれで安心するのなら、これからも瀬名垣はいくらでも「罪」を捏造《ねつぞう》し、「理由」を盾に取ってそばに居続けるだろう。瀬名垣は既定の事実を淡々と述べる。

「この一ヵ月ほど、場所を探していたんだ。今日ようやく一ついい物件を見つけて、仮契約をしてきた」

「どうして……」

真志喜は掠《かす》れた声をようやく絞り出す。

「この前の買い付けで思ったんだ。俺も卸だけじゃなく、客ともっと接したい、とな」

つまみにと真志喜が出した肉じゃがを、取り皿に大量に確保する。「それが結局、一番の修業になる。値付けの基準を学ぶにも、本への接し方を学ぶにも、な」

真志喜がうつむいたので、瀬名垣はやや不安になる。真志喜はやはり、俺が店を持つことを不快に思うだろうか、と。

「真志喜？　おまえが嫌なら、俺は……」

「馬鹿。嫌なわけないだろう」

真志喜の瞳《ひとみ》が濡《ぬ》れたように光った。「嬉《うれ》しいんだ。おまえが小売りの店を持たないのは、『無窮堂』にどこか負い目を感じているせいなのかと、ずっと気にかかっていたから……」

謝るのもおかしい気がして、瀬名垣は正直な気持ちを告げることにした。

「たしかに、そういう気持ちはずっとどこかにあったのかもしれない。だが、おまえが俺の背中を押してくれたんだ、真志喜」

「私が……？」

瀬名垣は力強く頷《うなず》く。

「そうだ。真志喜が見事にあの奥さんのための一冊を選んだとき、すごいと思ったよ。おまえは本を愛するあまり情に流されていると、俺は思っていた。でもそうじゃないんだな。さっきの老夫婦の表情を見てもわかる」

「買いかぶりだ。本をただの『商品』としてではなく扱いたいとはいつも願っているが、うまくいかないことばかりだ」

それでも願うことが大切なのだ、と瀬名垣は思った。瀬名垣は『獄記』を掘り出した日からどこか臆病《おくびょう》になった。古本にもそれを売買する人にも深く関わるまいと心のどこかで自分に言いきかせていた。誰かを傷つけ、自身も傷つけられる可能性のある古本の魔力に、瀬名垣は懲りていたのだ。だが、真志喜は傷つけられてもまだ、古本とそれを巡る人々に誠実に向き合っている。瀬名垣だけがいつまでも戦線離脱しているわけにはいかなかった。

瀬名垣はもうずっと以前に、禁断の果実を食べてしまったのだから。そしてそのことを、少しも後悔していないのだから。

「……俺は忘れていたんだ」

「なにを?」

夢を見ることも、希望に胸が躍るようなときめきも、すべてを食らいつくしたいと思う野心も、真志喜に会ったあの夏の日に生まれたのだ、ということを。

真志喜の問いかけに、瀬名垣は笑って答えなかった。

瀬名垣という人間を、真志喜がこの世に生み出したようなものだ。何も恐れることなどなかったのだ。あの夏の日からずっと、真志喜は瀬名垣のそばにいてくれたのだから。そしてたぶん、これからも。

寝室の襖《ふすま》を開け、敷いておいた二組の布団の縁がいつのまにか重ねられているのを見ても、真志喜は片眉《かたまゆ》を上げただけで、それについては特に何も言わなかった。

「風呂《ふろ》で考えていたんだが、開店祝いは何がいい」

行儀悪く布団の上であぐらをかいていた瀬名垣は、期待に満ちて真志喜を見上げた。

「くれるのか」

「ああ、いいよ……」

真志喜は嫣然《えんぜん》と微笑み、しかし瀬名垣の手をついとかわした。そのまま涼しい顔で、庭に面した縁側の障子を開け放つ。

いつのまにか月が出ていた。庭は季節には遅い霜を降らせたように、どこもかしこもうっすらと白く発光している。池は今夜も、完全なる水平を保っている。その向こうにある梅の木が、慎ましく蕾《つぼみ》を綻《ほころ》ばせはじめていた。思わず縁側に踏み出して硝子戸を開けると、まだ冷たい夜の風に乗って、一瞬春の芳香が漂った気がした。

「おい、風邪をひくぞ」

いつのまにか瀬名垣が背後に立っていた。真志喜の首にかけられたままになっていたタオルで、濡れた髪を拭《ぬぐ》う。瀬名垣は相変わらず、隙を見ては真志喜の髪の毛に触れたがる。

真志喜は含み笑いをした。

「なんだよ」

瀬名垣の問いに、真志喜は羅生門のほうを指さす。

「いい開店祝いを思いついた。あの軽トラックをやるよ」

月光を浴びても一向に輝きを見せぬ車を見やる。

「開店三日でスクラップになっちまいそうだ」

「それだけ繁盛すればいいけどな」

真志喜は瀬名垣に頭を委《ゆだ》ねつつ、辛辣《しんらつ》な一言を吐いた。瀬名垣は顔をしかめる。

「だいたいあのポンコツを俺に押しつけて、おまえはどうする」

「私？　私はもう新しい軽トラックを注文してある。明日あたり納車のはずだ。あれも下取りに出そうと思ったんだが、丁重に断られた」

「おまえなあ！」

さすがに瀬名垣は語気を荒げた。「廃車にするしかないような車、俺に押しつけるな」

「まだ動くんだからありがたく思え。だいたい、足はあるのか？」

黙り込んで、ふたたび真志喜の髪を拭《ふ》くことに専念する。すべては開店資金にまわり、車まで買う余裕はしばらくなさそうだった。

「そういえば、おまえのくれたトマトも腐ってたよな……」

背後のぼやきを黙殺して、真志喜は大きく身を乗り出した。

「おい、あれ……！」

池の水面《みなも》近くを、大きな影がゆったりと行き来していた。「初めて見た……本当にこの池に魚がいたんだな」

ひそやかな真志喜の言葉に、瀬名垣は驚く。

「今まで見たことなかったのか」

「なんだ、見たことあるのか？」

「……はっきりと見たのは一度だけだがな」

瀬名垣の罪とともに、池の底に姿を消した不吉な黒い影。瀬名垣は息を詰めて、揺らめく水中の影を縁側から見守る。真志喜が声を弾ませた。

「あ、跳ぶかな」

水面がゆっくりと山型に盛り上がり、月をめがけて魚が姿を現した。月が空にあいた穴で、そこから外の世界に飛び出そうとしているような、高い跳躍だった。

二人は感嘆の声を上げた。朱と銀の鱗《うろこ》は一枚も欠けることなく、月の光を反射した。体から振り落とされる水滴が、彗星《すいせい》から剝脱《はくだつ》していく氷のかけらを思わせる。巨大な錦鯉《にしきごい》は、空中で透けるような尾を振ると、水の抵抗を考えつくした姿勢で滑らかに自分の世界に帰還していった。

「初めて見た……」

瀬名垣が呆然《ぼうぜん》と言った。真志喜は瀬名垣を振り返る。

「ほら、やっぱり初めてなんじゃないか」

「ちがう、確かに以前に見たことはあるんだ。だけどその時は……」

罪の色をしていた。だが、いま視界をよぎっていった生き物の、なんと鮮やかな……。

瀬名垣はまぶたが熱くなるのを感じた。すぐ前に立って、まだ名残惜しげに池を見つめる真志喜を、背中からきつく抱きしめる。

しばらくじっとしていた真志喜は、やがて腕の中で魚のように身を翻した。庭を背にして後ろ手に硝子戸を閉め、瀬名垣をわずかに見上げる。

「店、いつからなんだ？」

「……来週の予定だ」

「手伝いに行こう。場所は？」

障子が閉まり、庭は月面のような無音の世界となった。水面の波紋の最後の一つが縁に寄せて消え去ると、『無窮堂』に穏やかな夜が訪れた。

水に沈んだ私の村

その細い道の先に、オレンジ色の明かりが灯《とも》った。

『無窮館《むきゅうかん》』の門灯であろう。ツタの絡まる赤煉瓦《あかれんが》の西洋館は、今や時の流れに埋没せんとしており、毎夕灯される明かりのみが、館に未《いま》だ命の宿っていることの唯一の証《あかし》であった。

この館に住む少年。彼の名を私は知らない。しかし私は身近にいる誰のことよりも、彼を想う。庭の木々の間から隠れ見える姿。窓辺に佇《たたず》み道を眺めおろしている眼差《まなざ》し。

彼は私を知らないが、私は彼を知っている。知って、見ている。

あるときは神を崇《あが》めるように彼に焦がれ、あるときは神になったかのように彼のすべてを観察する。

彼は知らない。私の脳髄の中の自分を。天地の間を高速で行き来する哀れな生け贄《にえ》の子羊となっていることを。

図書室のほうで物音がして、ペンを置いた。とたんに蝉の声がよみがえり、クラブ活動もない夏休みの真ん中にいる自分を思い出す。盆だというのに本を届けると連絡があった。きっと業者は宿直室にいる私に気づかずに、直接図書室に品を運び込んだのだろう。様子を見てこようと立ち上がり、思いついてテレビのスウィッチをいれ、音量を最大にした。これなら行き違いになっても、ここを覗《のぞ》いてくれるだろう。どこか遠い町で行われている真昼の野球。麦茶を入れておいたガラスのコップは、手をつけないうちに氷の姿を溶かし込み、今また汗を文机《ふづくえ》にしたたらせた。

誰もいないのをいいことに、校内でも下駄《げた》を履いていた。リノリウムの床に響く音。反射は鉄筋の建物の隅々まで行き渡る。耳になじんだ残響を追いながら、一夏をすごそうとしている無機質な建築物に、思いがけず愛着を感じはじめている自分を知った。

図書室の周辺は、夏のただ中にあるというのに廃墟《はいきょ》のように静まり返り、薄暗かった。ひからびたゴキブリの死体を隅に蹴飛《けと》ばし、木の引き戸を開けた。窓が閉ざされたままで淀《よど》んだ空気。わずかな黴《かび》のにおい。書棚の間を注意深く見てまわったが、人影はなかった。気のせいだったかと廊下に出ようとして、貸し出しカウンターの隅に置かれた包みに気づいた。開けてみるとたしかに発注した覚えのある、紛失した文学全集の端本《はほん》だった。

宿直室の前まで来て、違和感を覚えた。テレビの音が聞こえない。業者の人間だろうかと何気なく覗くと、部屋に若い男が上がり込んでいた。文机の前に立ちつくして、こちらに背を向けている。

「なにをしてる」

声をかけると、男はゆっくりと振り返った。彼の手元に、私の書きかけの原稿があるのを見てとって、私は頬に血が上るのを感じた。若い男だとは思ったが、不敵に笑った彼はまだ高校生のようだったからだ。この学校にこんな生徒はいただろうか。内心の焦燥と不安を悟られないように、私はゆっくりと手をのばした。

「返してくれ」

男はあっさりと紙を私に渡すと、文机の上にあった麦茶を勝手に飲み干した。

「あちいな」

白いTシャツの中に扇風機の風を入れ、男は私を見て目を細めた。「あんた、小説家？　売れてんの？」

彼はどうやらこの学校の生徒ではないらしい。私は安堵《あんど》するとともに、自嘲《じちよう》に唇を歪《ゆが》めた。どうして売れている小説家が、夏休みの宿直室にいるだろうか。答えない私に頓着《とんちやく》せず、男は扇風機から離れ、三和土《たたき》でスニーカーを履いた。

「図書室に本あっただろ？　請求書と振替用紙が入ってるからよろしくな。入金が確認でき次第、領収書を送ります、とさ」

「あ、ああ。君はやっぱり業者の人だったのか。アルバイトかい？」

「まあそんなとこ」

彼は私の横をすり抜け、宿直室から悠然と出ていった。「じゃあまたな、宇佐見左右吉《うさみそうきち》先生」

「どうして……」

反射的に宿直室を飛び出した。職員用の昇降口の脇の、出勤札。すべてが赤い面を見せている中で、私の札だけが黒い面を向けてかかっている。彼は私が追いかけてくるのを見透かしていたように、指先でその小さな木の札を軽く弾《はじ》いた。

秘め事を暴かれた私は、出ていく男の背をなすすべもなく見送った。知らない町で停電にあった旅人みたいに、しばらく昇降口に立ちつくしていた。

それでも私は古書『無窮堂《むきゅうどう》』に赴かずにはいられない。

空が夕焼けに染まり、ひぐらしの声が落下する花のように寂しく降り注ぐ頃、学校を出て丘を下った。丘の下を通っている細い農道。それを道なりに夜のほうへと進むと、『無窮堂』はある。背後に名残の夕日を従えて、地面に這《は》う自分の長い影を見ながら暗がりに向かって歩く。『無窮堂』は農道と、駅や町へと続く道の交わるT字路にあった。曲がり家のスタイルで建てられた、門灯から窓枠まで凝った造りの古書店。私がこの店を贔屓《ひいき》にするのは、もちろん古本屋としての目の高さも一因であったが、真実を言えば本田真志喜《ほんだましき》の家だからだった。

錆《さ》びた鉄の門扉を押し開け、農道のほうに張り出している店舗の引き戸に手をかけたとき、庭のほうに人の気配を感じた。声をかけようとまわり込んで庭を覗くと、大木の陰に本田真志喜の後ろ姿が見えた。

私は薄闇の中で息を呑《の》んだ。本田と向き合うように立っている人物に気づいたからだ。それは、昼間宿直室で私の秘密を垣間見《かいまみ》た、あの若い男だった。

彼は原稿用紙に書き付けられていたことを、本田に密告しただろうか。おまえの高校の教師は変態じゃないか。そう言っただろうか。それに対して本田はなんと答えるだろう。ああ、宇佐見？　あいつがおかしいのなんてみんな知ってるよ。あの色素の薄い整った顔を歪めて、軽蔑《けいべつ》に満ちた笑みを浮かべるのだろうか。私は言いしれぬおののきと甘い恐怖を味わった。拒絶はいつも甘い。私のようにひそかに眺めることしか知らぬ者にとっては、それは最上の喜びになる。

それにしても気になるのは、一体、本田とあの若い男はどういう知り合いなのかということだ。学校での本田は、どこか冷めていて大人びたところのある少年にみえた。だが今、本田は興奮したように、激しく若い男に詰め寄っている。言葉までは聞き取れないが、押し殺した声で、哀願するように何かを訴えかけている。彼にも感情というものがある。そのあたりまえの現実を目前にして、私の心は不思議な震えをみせた。学校での本田はいつも静かに本を読んでいる。彼の容貌《ようぼう》と、纏《まと》っている静寂とが相まって、まるで幽玄の世界の住人であるかのように、周囲の生徒との断絶があった。少なくとも私にはそう感じられていた。もちろん、談笑したり軽くふざけあったりする姿を見かけなかったわけではない。しかしたとえ誰かと一緒にいても、彼が揺らぎを垣間見せることはなく、寂滅《じゃくめつ》の境地にあるようだった。私は高揚感を抑えきれずに、身を隠すことも忘れて本田を見つめた。いままさに葵《あおい》の上を打擲《ちょうちゃく》せんとする六条御息所《ろくじょうのみやすどころ》。思わず能の『葵』のそんなシーンが思い浮かぶ。冷えた仮面の下から激情の迸《ほとばし》る時、観客は張りつめた緊張感に息を呑んで、舞台に渦巻くなにか得体の知れぬ情動を感知する。体温を感じさせない人形めいた風情のする本田の、芯《しん》を貫く灼熱《しゃくねつ》の流れが私の前に姿を現そうとしていた。

昼間の男は大木に身を預けるようにして立ち、詰め寄る本田の肩に軽く手を置いた。そして視線を上げ、私の姿を正面からとらえる。その眼差しに、彼が最前から盗み見ていた私の存在に気づいていたことを悟った。うろたえて踵《きびす》を返そうとする私を許さずに、視線を外さないまま男はわずかに身をかがめた。本田の耳元に何かを囁《ささや》く。私を見据えたままの目が揶揄《やゆ》の色を浮かべて不遜《ふそん》に笑った。

本田は男の囁きに驚いたように背後を振り返り、私の姿を見てサッと陶器のように静かな膚《はだ》を取り戻した。男と対峙《たいじ》していたときの激しさや熱情は微塵《みじん》も感じさせず、脈拍を想像させない穏やかな笑みを浮かべてみせる。

「すみません、店を空けて。祖父はまだ市《いち》から戻らないんです」

本田は男から離れてこちらに歩み寄ってくる。いや、いいんだよ……そんなことを口の中でつぶやきながら、本田の後をついてくる男をちらりちらりと眺めた。この男は何者だろうか。今の本田の反応を見るかぎり、私のことを伝えられてはいないようだ。この男はなぜ言わないのだろう。なぜ、私の秘め事をあからさまにしないのだろう。世慣れて、物に動じないふうをしているが、この男もせいぜい十代の後半だろう。もしかしたらまだ高校生であるかもしれない。得意顔をしてもいいはずだ。面白おかしく、鬼の首でも取ったように騒ぎ立ててもいいはずだ。沈黙を守っているのがなおさら不気味に感じられた。

私の意識の拡散を感じた本田は、その原因である男の存在に思い至ったらしい。

「あ……先生、こいつは瀬名垣太一《せながきたいち》といって、たまに店を手伝ってくれているんです」

「ああ」とまたしてもまともな返答ができないでいる私に、その男は礼儀正しく頭を下げた。

「さきほどお会いしましたよね。偶然だな。『無窮堂』にはよくいらっしゃるんですか？」

鼓動がうるさいほどに激しく胸郭を叩《たた》いた。瀬名垣太一というこの男は、私を何かの罠《わな》へと導こうとしているのだろうか。それとも、あそこにしたためられていたことは不問に付すと言っているのだろうか。少なくとも、彼が何も気づかなかった、という可能性だけは無いようだった。瀬名垣の目は明らかに、私に対してなんらかの感情を含んでいることをうかがわせた。

店の硝子《ガラス》戸を開けながら、本田はそんな私たちの葛藤《かっとう》に気づくべくもなく、おっとりと言った。

「なんだ、瀬名垣。もう本を届けていたのか」

「来るついでに場所、先に高校に寄ったんだ」

「すぐに図書室の図書室の場所はわかったか？」

「学校の造りなんてどこもだいたい同じだ。それより……」

と瀬名垣は声をひそめた。私は思わず聞き耳をたてる。いよいよ瀬名垣が秘密を暴露するかと息を詰めた。

「あの図書室に飾られてる絵、ちょっとさ……」

何事かを耳元に囁かれた本田はわざと怒ったように、

「馬鹿言ってるなよ」

と言い、そしてすぐに耐えきれなくなったという感じで、肩を揺らしくつくつと笑った。

瀬名垣も軽く肩をすくめ、

「真志喜もいつもそう思ってたから笑うんだろ？」

と悪戯《いたずら》そうな笑顔をみせると、あとはもう何事もなかったかのように手近な本の山を仕分けしはじめた。つい先ほどまで深刻そうなやりとりをしていたとは思えぬ、自然で打ち解けた態度だった。

その様を、私は本棚の隙間からじっと凝視した。他愛《たわい》もないことで子どものようにじゃれあい、笑いあう。初めて見る本田の姿に、私は陶酔にも似た眩暈《めまい》を覚えた。私が知っていた本田真志喜は、折り目正しいがどこかよそよそしい学校での彼と、この古書店で静かに本の囁きに耳を傾けている彼だけだ。墨一色で輪郭を描かれていた刺青《いれずみ》に、さっと鮮やかな朱が摺《す》り込まれる。私は本を眺めるふりでそんなことを夢想した。膚に浮いた血の珠《たま》を吸いとる彫り師は……。

「宇佐見先生」

背後から声をかけられ、本を持っていた手がすべった。本は空気を孕《はら》んで落下し、乾いた音を立てた。私は完全に振り返ることもできずに、ただおどおどと、横に回ってきた若い男をうかがう。腰をかがめた瀬名垣は、優雅なほどゆったりとした動作で本を拾い上げた。

「明日も先生が宿直ですか」

本を棚に差しながら、瀬名垣は私の横顔に強い視線を当てる。自分が嫌な汗をかいていることを感じた。棚に並んだ本の背表紙をうつろに目でなぞる。

「あ、ああ。そうだよ。盆の間はどの先生も里帰りだなんだとお忙しいだろう。私は独り身だから……」

瀬名垣は無論、私の境遇を知りたいわけではないのだろう。番台に座っている本田から私の姿を隠すように、本棚に半身を寄りかからせた。

「先生、俺はさ。明日は泳ぎたい気分なんだよ」

「は?」

間抜けに聞き返すと、瀬名垣はすこし首を傾げ、口元を歪ませた。大型の猫科の獣が、捕らえた獲物を食するに値するか否か吟味しているような、悠々たる落ち着きぶりだった。

「泳ごうと思うから、よろしくな」

もう一度、噛《か》んで含めるように瀬名垣は言った。そこに至ってようやく、彼が高校のプールを使わせろと言っていることに気づいた。

「だ、駄目だ。夏休みの間のプールの使用は、あらかじめ届け出ることになっている。勝手に個人に使わせるわけにはいかない」

「だからあんたに頼んでるんだよ、宇佐見先生」

瀬名垣は私の顔を覗き込むようにして、低く言った。

何も言い返せずにうつむいた。だが、瀬名垣があれを盾に私を利用しようと思っていることはわかった。相手が何を考えているかはっきりして、瀬名垣に対する底知れぬ恐ろしさは半減した。どうせ明日が終われば他の教師たちもまた部活の指導などで学校にやってくる。彼が好き放題しようと目論《もくろ》んだところで、高校教師を使ってできることなどたかがしれている。現にプールときた。私はうつむいたまま、やや意地の悪い気分で嘲《わら》った。

「おーい、真志喜。先生が、明日プールで遊んでいいってさ」

瀬名垣がわざと大きな声で言う。本田が心配そうに番台から下りてくる。

「いいんですか、先生」

私はお得意の曖昧《あいまい》な笑みで返事をすると、そそくさと『無窮堂』を後にした。


しかしその少年を手に入れるためには、まだ障害となるものがある。それが『無窮館』という建物自体であり、そして夜な夜な彼を訪《おと》なう謎の影である。影は館の裏手から立ちのぼり、人の姿となって暗い館に忍び込む。少年と影が窓辺で一晩中語り合うのを、私は茂みの中から照射した。私の視線で影が白く焼かれ、消え失《う》せてしまえばどんなによいか。だが影は盗み見る私を知ってか知らずか、これみよがしにあの手この手で少年の無聊《ぶりょう》を慰める。世界の真ん中にある、透き通った水晶をめぐる物語で。舶来のカードを使った怪しげな占いで。少年は影を慕い、自分のすべてを影に委《ゆだ》ねきっている。私はといえば、『無窮館』の分厚い煉瓦に阻まれて、未だに少年に近づくことすらできぬありさまだ。青く揺らめく私の妬心《としん》。どうしたら、少年のそばから影を遠ざけることができるだろうか。

昼近くになって、瀬名垣と本田が姿を現した。軽く会釈した本田を見て、瀬名垣にプールの鍵《かぎ》を渡す手が震えた。私はいつもこうだ。本田の存在に過剰に反応し、無様《ぶざま》に打ち震えることになる。それが嫌で、彼を私の世界に封じ込める。作り物の中の彼を動かすのは楽だった。好きに彼を眺め、彼の反応をはばかることなくあれこれと思いめぐらせることができる。そのむなしい代償行為が、私をいっそういたたまれなくさせるとわかってはいるのだが。瀬名垣はそんな私の思いを見透かしたように、

「先生も一緒に泳ごうぜ」

と誘いをかけた。「宿直室にいても、することもなくて暇だろ？」

しばし躊躇《ちゅうちょ》した後、私は少年たちを監督する立場にある、と自分に言いきかせて、二人の後についてプールへと向かった。もちろん誘いを撥《は》ねのけることはできた。私にも誇りというものがある。だが狭い宿直室で時代遅れの小説を書くよりも、本田と少しでも接せられる機会のほうが魅惑的だった。

瀬名垣は私の抗議の声を振り切って、服のまま水に飛び込んだ。しばらくぶくぶくと水面に泡が立つ。私は呆然《ぼうぜん》とプールサイドに佇んでいた。日差しがさんさんと降り注ぎ、水

音に驚いて一瞬鳴きやんだ蟬が、再び声を張り上げる。横にいた本田が、

「瀬名垣！　上がってこい！」

と静寂を取り戻した水面に向かって怒鳴った。そして私に頭を下げる。

「すみません、非常識なやつで」

すぐ近くの水が盛り上がり、瀬名垣が顔を出した。濡《ぬ》れた髪の毛を片手でかき上げると、プールサイドに腕をついて私たちを見上げる。

「真面目そうなやつにかぎって、突然非常識なことをやらかすもんだぜ。気をつけろよ、真志喜」

本田は眉を上げて、

「だれが『真面目そうなやつ』なんだ？」

と瀬名垣の言葉を一蹴《いっしゅう》してみせたが、私は緊張に引きつった笑みを顔に貼り付けていた。瀬名垣が私にあてこすっていることは歴然としている。彼は私のこわばった表情を見てフフンと笑うと、あっさりと話題を変えた。

「それにしても、ずいぶん深いプールだ」

「飛び込み台があるからな」

本田の言葉に、今はじめて気づいた、というように瀬名垣は背後を振り仰いだ。私もそちらに視線を移す。月への脱出シャトルのように、コンクリートの塔が黒くそびえたって

いた。

本田と共に、すぐ後ろに横たわる校舎を背にして日陰に座る。大きく張り出した木の枝が、頭上で葉を風にそよがせた。本田はしばらく光が乱反射する水面を眺めていたが、やがて持参した本に目を落とした。

「きみは泳がないのか」

「あまり得意ではないので。それに焼けると赤くなってつらいんです」

なるほど、と白い綿のシャツから出ている腕や首筋を見た。彼の肌には緑の濃い影がまだらに落ちていて、昨夕の刺青の幻想が鮮やかによみがえった。視線で罪を犯した気分になって慌てて目を逸《そ》らす。プールでは相変わらず、瀬名垣が服のまま潜水を繰り返していた。空は極上の藍《あい》から抽出された深い宇宙の色だ。そこに純白のつややかな入道雲が染め抜かれているさまは、なんだか作り物めいて見えるほどだった。

笑った私を、本田が怪訝《けげん》そうにうかがう。咳払《せきばら》いをして、座ったまま背後についた手に重心を預け、空を見上げた。

「いや、夏だなあと思って」

「そうですね」

持っていた本を閉じると、本田も同じように空を見上げた。「嘘みたいに夏だ」

本田は誰とでも等間隔に距離を取る。高校生にありがちな好き嫌いも選《え》り好みもない代わりに、冷たい優しさが漂っている。彼が人間にあまり興味がないのだということを、私は早くから見抜いていた。いや……語弊がある。彼は無関心を装っているのだ。だから誰に対しても同じように優しく、同じように冷たい。元から何も求めていないのか、諦《あきら》めたのか、何か心に引っかかることがあって他人に踏み込めないのか、私にはわからない。ただ、勝手に自分を重ね合わせた。いま、突き抜けた夏の空に欺瞞《ぎまん》の色を感じ取ったように、本田とはどこか通じ合えるような気がしていたから。そんな私の思いを知ったら、本田は困ったように静かに笑うだろう。それすらもわかっていながら、私はこの少年のたたずまいに惹《ひ》かれた。

牢獄《ろうごく》の檻《おり》を揺らすかのごとき音と振動で、寄りかかっていたフェンスが軋《きし》んだ。驚いて振り返ると、深紅のワンピースを着た少女と、網に入った大きな西瓜《すいか》を提げた赤い髪の少年が立っていた。

「まーしきちゃん、泳がないの？」

少女がフェンスに顔を押しつけて聞く。本田は笑った。

「跡がつくよ、みすず。どうやってここを嗅《か》ぎつけた」

「嗅ぎつけたんじゃないよぅ。たいっちゃんが『タダで泳げるから来い』って教えてくれたんだもん」

ねえ秀郎《ひでお》、と少女は傍らの少年を見上げる。外山《とやま》みすずと後藤《ごとう》秀郎、と私は生徒の名前を引き出した。本田と後藤は同じクラスだが、特に親しいようにも見受けられなかった。そう考えてしかし、たかが教師に人間関係をすべてさらけ出すはずもないかと、私は過ぎた高校時代を久しぶりに思い起こした。

　後藤は無言のままフェンスに背を向けて、すたすたと歩み去るかに見えた。と、くるりと向き直り、手に持っていた西瓜を反動をつけて思い切り投げる。西瓜は網ごと綺麗《きれい》に放物線を描いてフェンスを越し、どぼんとプールに落下した。

「なにすんだ、秀郎！　当たったら死ぬぞ！」

　水中から瀬名垣が顔を出してがなった。後藤は涼しい顔でフェンスをよじ登りはじめた。外山もスカートを気にもせずに勢いよく登る。根本のほうが錆び付いたフェンスは、二人の体重を受け、嵐に遭った舟のマストのように揺れた。

「き、君たち、危ないよ。あっちの扉が開いてるから……」

　私の言葉などだれも聞こうとしない。瀬名垣は「みすずちゃん、パンツ見えてんぞー」とラッコのように漂いながら言い、本田は何事もなかったかのようにいつのまにか本に没頭している。私も常になく振り回されている自分が忌々しくなり、浮きかけていた腰を焼けたコンクリートの上に落ち着けた。

「瀬名垣、西瓜拾え」

　フェンスの頂で後藤は指示し、ほとんど音を立てずにプールサイドに着地した。続く外山の落下を、さりげなく抱きとめて補助する。

「勝手に投げといてなんだ。ここ深いんだぜ」

「沈む西瓜はよい西瓜」

外山が歌うように言う。そしてサンダルを脱ぎ捨てると、「あつぅ」と小走りでプール
に飛び込んだ。もう何を言う気力も失せた。ワンピースが広がり、水に咲いた華のように
幻想的に揺れ動いた。

「あはは。浮くよー」

「くらげみたいだな」

西瓜を持って浮上してきた瀬名垣が、プールサイドで待ち受けていた後藤に網を手渡す。

「どう、服着てても泳げそう？」

「うん、大丈夫」

「まあ今は素面《しらふ》だしな」

瀬名垣はようやくプールから上がると、Tシャツの裾《すそ》を絞りながらこちらにやって来た。

「なんか飲むか？　真志喜」

「ああ……烏龍茶《ウーロンちゃ》」

本田は視線を上げずに答えた。瀬名垣はついでのように私にもうかがいを立てる。

「先生もそれでいい？」

「あ……ああ」

瀬名垣は濡れたジーンズの尻《しり》ポケットを苦労して探った。

「瀬名垣、金は？」

「ある」

乾いたコンクリートの上に足跡を残しながら、瀬名垣はフェンスの外に出ていった。ステンレス製の梯子《はしご》に西瓜をくくりつけた後藤が、黙々とプールを往復している。やはり着衣のままだったが、どうでもいい気分だった。濡れたそばから蒸発していくような日和《ひより》に、わざわざ水着に着替えるのもどうかしている。ふと、澄んだ川の流れを思い出した。薄暗いけれど風通しのよい古い家。その前を流れる川の音。

「真志喜ちゃん、私、日焼け止め塗るの忘れちゃったよ」

外山が、濡れて血の色になったワンピースから水をしたたらせてペタペタと歩み寄ってきた。背中まである茶色い髪を両手で絞る。本田は微笑んで、すでに健康的な色に焼けている外山を見上げ、自分の隣の日陰を示した。外山はおとなしく座り、ためらった後に本田を挟んで反対側にいる私を見た。

「ねえ、真志喜ちゃん。宇佐見先生だよね？　国語の」

本田はおかしそうに、本を置いてフェンスにもたれた。

「何言ってんだ、今さら。ここを開けてくださったのは先生だよ」

ふーん。外山は不審そうにうなり、

「先生、たいっちゃんになんか弱味でも握られてんの？」

と核心を突く問いを発した。

「いいや、なにも」

面白みのない教師、と生徒たちに囁かれているのを知っている。動揺を表すことなく、平坦《へいたん》に問いをやりすごせた自分に満足した。逆に、気になっていたことを聞いてみる。

「君たちは、どういう知り合い？」

本田のまわりには防弾ガラスがはめ込まれているし、瀬名垣にはとても聞くことなどできない。しかしこのあっけらかんとした少女には、たやすく問うことができた。

「『どういう知り合い？』だって」

少女は馬鹿にした響きで繰り返してみせた。「ともだちに決まってんじゃん」

「瀬名垣くんは、この学校の生徒じゃないだろう」

外山が明るく笑い、本田も肩を震わせた。何がおかしかったのだろうか。私は頬が熱くなるのを感じた。

「『瀬名垣くん』だってー。そぐわないよねえ」

「みすず」

本田がたしなめ、うつむいて指を組み替えた私を見て、悪いと思ったのか言葉を足した。

「幼なじみなんですよ。みすずと僕は近所で、瀬名垣は小さい頃からうちに来ていたから、お互いよく知っているんです」

「秀郎はねえ、私のこと好きなの」

たしかに愛らしい少女だが、こういう神経はよく理解できない。だが本田は慣れているのか、

「みすずだって秀郎のこと好きだろ」

とからかい半分にいなした。外山は不自然に沈黙し、取り繕うように明るく言った。

「ちがうよー。私が好きなのは」

「俺だろ？」

いつのまにか戻った瀬名垣が、腕に抱えていた缶を放った。「みすずちゃんはオレンジでいいんだよな」

「ありがと」

外山は受け取った缶を頬に押し当てた。「ひゃあ、冷たい」

瀬名垣は本田と私にも茶の缶を手渡し、自分の無糖コーヒーのプルトップを開けながらプールサイドに立つ。

「秀郎、それ以上体力つけてどうすんだ。コーヒー買ってきたぞ」

回遊するマグロのように飽きもせず泳ぎ続けていた後藤が、私たちの前で止まった。水

に浸《つ》かったままコーヒーを一息で飲み干す。髪の毛が赤く、しょっちゅう授業をさぼっては屋上で本を読んでいる、成績だけは良いこの生徒は、職員室でもなにかと話題に上った。彼がいわゆる不良なのかそうでないのか、教師たちには判断がつかないのだ。もちろん私も、彼と個人的に話したことなどなかった。

本田が立ち上がり伸びをする。

「一回上がれよ、秀郎。腹が冷える」

本田の言葉に従って、後藤はプールから上がった。頭を振って大型犬のように水滴を飛ばす。白地に赤いハイビスカス模様のアロハシャツを脱ぎ、ぞうきんでももう少しまともに扱われるだろうと思われるほど無造作に絞って、本田に投げた。

「西瓜食うか？」

本田は腕の時計に目をやって頷《うなず》く。

「まだ冷えてないだろうけど、そろそろ」

後藤は姿を消し、すぐに片手に木刀を下げて戻ってきた。アロハシャツをフェンスから飛び出た針金に引っかけて干していた本田が、

「包丁持ってこなかったのか」

と、呆《あき》れたように言った。外山がのんびりと請け合った。

「大丈夫。秀郎はあれで西高の人の頭もかち割ったもん」

ぎょっとした。しかし本田は軽く肩をすくめるにとどめ、瀬名垣にいたっては、プールから引き上げた西瓜をいかにして地面に固定させるかに夢中で、特になんの反応も見せなかった。しかも彼はいつのまにか煙草をくわえていた。

「せ、瀬名垣くん。君、未成年だろう?」

「ああん?」

面倒臭そうに顔を上げた瀬名垣は、平然と煙を吐き出した。「俺、ダブッてるからもうハタチ」

「嘘ですよ」

本田の冷静な指摘も事態を好転させる要素にはなりえず、私の心をむなしく通り過ぎた。

「先生さあ、話してみるとちょっと印象変わるよねぇ」

腹這いになって、プールサイドから顔だけ水につけて遊んでいた外山が言った。「なんか授業中はボーッと暗くてさ。とっつきにくい感じだけど」

「この先生はホントに暗いよ」

瀬名垣はニヤニヤして私を見、ついに業を煮やしたのか西瓜を両手で支えた。「俺が押さえとくから、叩け、秀郎。俺の頭はかち割るんじゃねえぞ」

ガシュッと水気を含んだ鈍い音を立てて、西瓜は破砕された。汁と種が盛大に飛び散る。

瀬名垣は腕を伝う薄い赤色を舐《な》め取り、指先で頬を拭《ぬぐ》った。後藤が木刀をプールに漬けて、西瓜の汁を落とす。精神に良くないので、私はまた空を見ることにした。入道雲はいつのまにか千切れて崩れ、アドバルーンのように寂しく風に吹き流されている。

本田がちょうどいい大きさの西瓜の破片を選び出し、相変わらず水遊びをしている外山と、へたり込んでいる私に手渡した。瀬名垣と後藤は西瓜を挟んで向き合ってしゃがみ込み、破壊された実に無心にむしゃぶりついていた。

「ねえねえ、真志喜ちゃん」

水中を覗いていた外山が顔を上げて本田を呼んだ。

「ん？」

本田は西瓜を片手に、外山の脇にしゃがむ。つよい日差しが本田の首筋に容赦なく注いだ。

「水底にさ、建物が沈んでたら面白いのにね」

外山は弾んだ声で、とっておきの思いつきとばかりに提案する。「廃墟があるの。潜ってその家の中を探検できるようになっててさ。卓袱台《ちゃぶだい》とか固定してあって、水没した町を再現してある。あ、ヨーロッパ調のすごいお屋敷とかでもいいよね。幽霊の出そうな。そんなプールがあったら、私、遊びに行くけどなあ」

「そうかな。僕は怖くていやだ。息が続かなくなって、二度と浮かんで来られなさそうだ」

本田は掌《てのひら》に西瓜の種を吐き出しながら、外山と同じように寝そべって水面を覗いた。

瞼《まぶた》の裏に、記憶の底に刻みつけられた緑の山々の稜線《りょうせん》が浮かび上がる。奥深い山の間を流れる細い沢。流れに沿って並ぶささやかな家々。私の生まれた場所。今はもうない故郷の村。

「私の生まれ故郷は、外山さんの気に入るかもしれないな」

プールを覗いていた二人が振り返る。こんなことを言ってどうなる、と思いはしたが、もう言葉を止められなかった。私には本田は特別の輝きをもっている存在だが、本田にとっては私はただの高校教師にすぎない。それはもちろん、この場にいる他の人間にとっても同じことだ。ただの教師。ただの生徒。それだけだ。しかし最前からの彼らの振るまいと、この狂ったような夏の日差しが、私の心を麻痺《まひ》させた。正常な距離感を奪い取り、堅固な心の堤を崩して奔流を溢《あふ》れ出させた。

「水に沈んだんだよ。小さな村だった。今では立派なダムができている」

できているはずだ。見たことはなかった。もう何年あの土地に帰っていないだろう。

「へえー」

外山は身を起こした。「そんなことあるんだ。じゃあ先生の家、今でもダムの底にあるんだね？」

「そうだよ」

私は目を閉じた。「天気のいい日に、砦《とりで》のような見学用の橋の上から覗き込むとね、澄んだ青い水の中に、ゆらゆらと村が見えるんだ。細い川にかかってた橋が、雑貨屋の前にあった赤い郵便ポストが、そのまま水底に残っている。もちろん、私の家の屋根も」

水音に目を開けると、大きな西瓜を平らげた瀬名垣と後藤が、掃除用のホースでプールサイドの残滓《ざんし》を洗い流していた。側溝にむかって緩やかに傾斜したプールサイドを、種がゆっくりと滑り落ちていく。後藤はデッキブラシで皮を一所に集めると、フェンス越しに花壇に放り投げた。水の溢れるホースを持って、瀬名垣がやってきた。彼は私をちらりと見たが、口に出しては何も言わなかった。

外山はしゃがんで手を擦り合わせながら、

「すごいわ。水の底の先生の村では、鳥のかわりに魚が空を泳ぐのね」

と私の話に興奮した。瀬名垣はそんな外山の手を、優しく水で洗い流してやっている。本田もホースの水に手を晒《さら》しながら、柔らかな笑みを浮かべた。

「先生のご出身はどちらですか」

「M県だよ」

瀬名垣は私のところにもホースを引きずってきて、べとつく西瓜の汁を流した。本田が立ち上がり、フェンスにかけてあった後藤のシャツの乾き具合を確かめる。

「なまりが全然ないですね」

「そりゃあね」

私は苦笑する。「両親が亡くなって、ちょうどダム建設の話が持ち上がって……高校から村を出たんだ。生きてきた半分はこっちで暮らしたことになる。もう言葉も忘れてしまったよ。しゃべれと言われてもしゃべれないだろうな」

「泳がなくていいのか、先生」

瀬名垣が唐突に言った。夢想を破られた私は、面食らって立ち上がる。

「え？　わ、私は遠慮しておく」

「真志喜は？」

「僕もいいよ」

「大丈夫か？」

「まあなんとかなるだろう」

怪訝《けげん》な思いで二人のやりとりを聞いていた私に、立ち上がって濡れたワンピースを整えた外山が笑いかけた。

「先生、今晩ヒマ？」

「おい、みすず」

慌てたように本田が遮《さえぎ》ろうとしたが、瀬名垣は蛇口を閉め、

「いいんじゃないか」

と言った。「そのほうが縛り上げる手間が減る」

不穏な言葉に胸騒ぎがして後ずさる。後藤にシャツを手渡しながら、本田は眉《まゆ》を寄せた。

「瀬名垣……」

瀬名垣はジーンズの濡れたポケットに注意深く煙草を押し込み、

「さてと」

と強引に話題を切り上げた。「秀郎、手配はできてんのか？」

「ああ。運ぶの手伝え」

「オーケーオーケー。じゃ、いったん引き上げるか」

呆気《あっけ》に取られている私を、本田が気遣わしげに見やる。瀬名垣は置いてあった本を拾い上げ、本田に持たせると、彼の腕を取ってさっさと歩き出した。

「先生、鍵閉めとけよ」

サンダルを履いた外山が、私の横をすり抜ける。

「夕方また来るね、先生」

少女は元気よく手を振った。わけがわからないまま、ため息をつき、静寂を取り戻した水辺の情景を眺める。やがて私は首を振ると、フェンスの扉を閉め、鍵をかけた。

「ぼくの親……？」

少年はわずかに首を傾げ、ためらうようにつぶやいた。少年の声を聞くのは初めてだった。少し掠《かす》れたその声は、戯れる猫のように柔らかく、私の鼓膜に爪を立てた。

「そうだよ。君ぐらいの年の子が、こんな古い館に一人で住んでいるのはよくない」

少年は先の尖《とが》った鉄棒が連なってできた門を、両手で握りしめた。少年の掌に温められて、鉄の棒から血の臭いが立ちのぼる。呼び鈴を鳴らし続け、なんとか扉から出てきたはいいが、少年は決して門から出ようとはしなかったし、私を招き入れる素振りも見せなかった。

「ぼくは一人じゃないよ。それに、ここを出ていったら影が寂しがる」

「君の親御さんは、君にとても会いたがっているけどなあ」

少年は私の話に心を動かされたようだった。初めて正面から私を捉《とら》えた瞳《ひとみ》が、ためらいを映して揺らめいている。

「そこ、遠い？」

「少しね」

「じゃあ駄目だよ。夜になってぼくがいなかったら、影はぼくに裏切られたと思うもの」

少年は目を伏せた。私は彼を安心させるために慌てて付け足す。

「一晩のことだよ。それくらいなら大丈夫だろう」

「あなたは影のことをよく知らないから」

彼はわずかに背後を気にしてから、声をひそめて続けた。「ぼくがここを出ていったら、池があふれてすべてが水に沈んでしまうよ？」

「池？」

意表を突かれて私は問い返した。

「そう。館の裏にある池だよ」

「それは困るね、でも……」

軽く受け流してなおも言い募ろうとする私を、少年は哀しそうに首を振ることで遮った。

「ぼくはもう、おかあさんの顔をよく覚えていないや」

少年は門から手を離し、一歩後じさって私から距離をおいた。灰色の重い雲に切れ間ができ、久しぶりの太陽があたりを照らす。門の影が音もなく少年の上に落ち、檻のように彼を捕らえた。

宿直室の窓を叩く音がして、慌てて顔を上げた。ごそごそと窓の下を身を伏せて移動する気配がする。部屋はいつのまにか夕焼けに染められ、影が長く濃く畳の上にのびていた。

原稿用紙を整えて机の上に伏せると、職員用の昇降口から入った外山が、にぎやかに宿直室にやってきた。

「先生、いま窓叩いたのわかった？」

「ああ」

立ち上がり、下駄をつっかけた。「一体なにをするつもりだい」

後から入ってきた瀬名垣と後藤を見て、私は絶句した。彼らは両手にビールや酒を山ほどぶらさげ、靴のまま平然と廊下に上がった。

「よう、先生。書いてるかい」

瀬名垣のからかいの言葉に、カッと血が上った。

「何を考えてるんだ。ここは学校だぞ」

「まあまあ。ここが一番見晴らしがいいんだよ」

「見晴らし？」

外山が、持っていたつまみを無理やり私に手渡した。

「今日は花火大会だよ、先生」

すぐ下の教室の机と椅子を運び上げ、屋上は即席の花火大会観賞会場となった。夏の長い一日はようやく終わりの時を迎え、太陽は長く名残の光を投げかけながらも、じりじりと西の地平に沈む。

煙草に火をつけながら、瀬名垣が舌を鳴らした。

「しまった。蚊遣《かや》りを持ってくるべきだったか」

「三階建てだぜ？　大丈夫だろう」

「あいつらはそれくらい屁《へ》とも思わず飛んでくるぞ」

後藤は瀬名垣の煙草から火を移し、煙を吐いた。

「そうしたらこうしていぶしてやればいいさ」

すっかり共犯者にしたてあげられた私は、缶ビールを手に、本田は来ないのだろうかとぼんやりと考えていた。

丘の上に立つ高校の屋上に上れば、眼下の町を一望にできる。どの家にも明かりが灯り、夏の静かな夜が始まろうとしていた。だがたしかに、今日はどことなく町並みが沸き立っているように見える。道はびっしりと赤いテールランプで埋まり、すべてのライトが点《つ》いて夜空に白く浮かび上がった市民スタジアムへと吸い寄せられていく。

フェンスの土台部分に立ち、外山は髪を風になびかせている。さすがに濡れた服は着替えたらしい。サンダルは昼よりも小振りでヒールのある物に代わり、臑《すね》ぐらいまでのぴったりとしたズボンを穿《は》いていた。

「秀郎の家って、あそこ？」

しなやかな腕を伸ばして指さす。後藤は外山の隣に立った。

「そうだ。あの白いマンション」

「なんだ、秀郎の家のほうが近かったな」

瀬名垣が二本目のビールを開けて飲んだ。「そっちでやればよかった」

「駄目なんだ」

後藤はビールを持った手で、軽く場所を示す。「ちょうど向こうの茶色いビルの陰になって、スタジアムは見えない」

瀬名垣は空いた缶に吸い殻を落とし、屋上の扉を見やる。

「遅いな、真志喜」

その時、一階から蛍光灯の青白い明かりが外に漏れた。私たちは口を噤《つぐ》む。明かりは、校舎に沿うように横に伸びているプールの水面を照らした。

「見えるか？」

下から本田の声がした。後藤と外山が身を乗り出すようにして見下ろす。瀬名垣もフェンスに取りつき、私もそれにつられた。

本田は一階の窓から顔を突き出すようにして、屋上の私たちを見上げていた。

「電気がついたのが見えるか？」

「ああ、すぐわかった」

後藤が答える。瀬名垣が、

「早く上ってこいよ、真志喜。そろそろ始まるぜ」

と促した。

本田は二本の懐中電灯と、透明の大きなゴミ袋と、蚊取り線香を持っていた。本田は手ばやくフェンスに針金で蚊取り線香をいくつかくくりつけ、灯した懐中電灯を足もとに転がして当座の明かりを確保すると、今度はゴミ袋を何枚か重ねはじめた。

「いいか、飲み終わった瓶や缶は、その都度こまめにこの袋に入れること。ゴミも同じく」

本田の説明を、あとの三人は椅子に座って楽しげに聞いている。「それから吸い殻。これもちゃんと灰皿がわりの缶を決めておいて、いざという時には缶ごとさっさと袋に入れる」

「い、いざという時ってなんだい」

私の問いに、彼らはいっせいにこちらを見、何も言わずにまた顔を正面に戻した。「ちょっと……なんなんだい」

そのときにいたってようやく私は、彼らが昼とは違い黒っぽい服を身につけていることに気がついた。本田が続ける。

「校舎のどこかに明かりがついたら、さっきみたいにプールに映ってすぐにわかると思う。電気をつけずに校舎に侵入した場合、缶やら鈴やらが鳴るはずだ。まあ……鳴るだろう、たぶん」

「いくつ仕掛けた？」

瀬名垣の質問に、本田はちょっと考えた。

「八ヵ所かな。どこかには引っかかるだろう」

「それだけやりゃあ大丈夫だ」

瀬名垣は傲然《ごうぜん》と椅子の背に身を預ける。「どうせ町じゅうの人間がスタジアムのほうを見るんだ。背後の丘の上にある高校の、屋上で催されているささやかな宴《うたげ》に気づく奴なんてそうはいない」

「とにかく、いざって時は打ち合わせどおりに」

本田の言葉に彼らはうなずく。私もうなずきかけ、結局何もわかっていないことに気づいてうろたえる。

「よくわからないんだが、私は何をさせられるんだ？」

「縛られて宿直室に転がっていたほうがいいなら、今からでもそうするぜ」

瀬名垣はからかうように言った。「まあ、とりあえず飲もう」

その言葉を合図にしたかのようにスタジアムの光が消え、最初の花火が超新星のごとく輝き、夜空に散った。私たちは歓声を上げ、ビールの缶を打ち合わせて乾杯し、机に広げたつまみを食べた。ややぬるくなりかけたアルコールが、喉《のど》を舐める感触を残しゆっくりと胃の腑《ふ》に落ちていく。

いつのまにか椅子は倒れ、酒が入った私たちは屋上に直接座り込んだり寝そべったりして、色とりどりの花火を眺めた。

火でできた花を空に咲かせようと、最初に考えついたのは誰なのだろう。夜空に咲いた花を初めて見たとき、その人物は何を感じただろうか。思いもかけず、自分が寂しいものを作りあげたことに、驚きはしなかったのか。私は、ラムネの瓶を透かして眺めた故郷の花火を思い出した。狭いガラスの中で、火花は歪んだ曲線を描いて消えた。

本田がカップの日本酒を手渡してくれた。礼を言って受け取り、透明な液体で満たされたガラスをかざしてみる。花火は遠い日と同じように、水の中でとろけた。

「みすず。俺と結婚してくれ」

後藤が決然として立ち上がり、フェンスのそばにいた外山に歩み寄った。彼は先ほどから恐ろしい勢いで空瓶を林立させていたが、それを微塵も感じさせない妙に明瞭《めいりょう》な発音だった。私は突然のことに、蓋《ふた》を開けて傾けていた日本酒から思わず顔を上げたが、隣に座っていた瀬名垣と本田は笑って手を打った。

「出た！　秀郎の得意技」

「がんばれー」

後藤はちょっと右手を挙げて、観客の声を収めた。外山はこちらも酔いを感じさせぬ物

言いで、

「うんうん、月に生き物が住めるようになったらね」

とおっとりと返した。

「なんで結婚と月への移住が関係あるんだ」

「それはおまえ、遠回しに断られてんだよ」

瀬名垣がすかさず茶々を入れた。私はすっかり惑わされていたが、どうやら彼らは酔っぱらっているらしい。

「秀郎も懲りないな」

本田が仰向けに寝転がった。少しでも酒の熱を逃がそうとするように、腕を投げ出す。

「……みすずちゃんは真志喜のことが好きなんだ」

瀬名垣の言葉は静かだった。私は横目で本田の反応をうかがう。彼はじっと暗い空を見つめていた。

「だから？　瀬名垣。だから僕にどうしろと？」

本田が身を起こす。押し殺した声に、予期せぬほどに激しい本田の怒りを感じ取った。息を呑んで傍らの二人の気配を傍受する。瀬名垣は何も答えなかった。煙草の先が赤く光り、そして夜に溶けた。本田がため息をつく。

「瀬名垣、本当に大学には行かないつもりなのか？　梅原《うめはら》さんだって残念がっているの

「俺はもう、やるべき仕事は決まってるんだ。行く必要がないに」

煙草を缶に落としつつ、瀬名垣は苦笑したようだった。

「真志喜はどうするか、ゆっくり考えればいいさ」

慣れた道筋をたどっているらしい会話を聞いて、なるほど、これが『無窮堂』の庭先でも言い争っていたことなのだろうと見当がついた。同時に、彼らの間の違和感、齟齬《そご》にも気づかずにはいられなかった。闇の中で叫び声の上がった場所に、お互いになかなか辿《たど》りつけないでいる。傷の存在に気がついているのに、なかなか部位を探り当てられないでいる。そんな彼らのもどかしさと苛立《いらだ》ち。

それが彼らの若さのせいなのか、それとも何か他に原因があるのか、私には判断がつかなかった。ただ、黙って距離を測りあう二人の、沈黙のやりとりの邪魔にならぬよう、立ち上がってフェンスのほうへと場所を移動した。

花火大会も終わりに近づいたのだろう。ひときわ大輪の華やかな意匠のものが続けざまに打ち上げられる。正円を描いたのちに、細く白い糸を引いて柳のように光の筋が落下するものには、うめきにも似た感嘆の声が上がった。その輝きは地表に到達する前にはかなく消えていく。余韻を味わう静けさの間隙《かんげき》を突いて、鏑矢《かぶらや》のような高い音を立てながら縦横無尽に光の筋が飛び交う。光の尾を長く引いて夜空を舞う姿は、鳳凰《ほうおう》のごとく絢爛《けんらん》たるものだった。

外山は食い入らんばかりにその軌跡を追い、誰にともなくつぶやいた。

「いつかみんなで遊びに行こうよ。魚が鳥みたいに飛んでる先生の村にさ」

耳鳴りが起こり、花火の音が遠く退《ひ》いて川の音になった。私の家は橋を渡った左手にある。白い犬がいつも忠実に玄関の横で往来を見守っている。家の裏手にはすぐ山が迫り、小さな畑で母はのんびりと野菜を収穫する。サイレンが鳴ると、黒犬を連れて仕事に出ていた父が山から帰ってくる。ダムの中の私の村。

気がつくと全員が、フェンスに顔を押し当てるようにしてスタジアムの上空に見入っていた。惜しげもなく上げられる花火に照らし出され、若い彼らの顔はその都度、赤や黄や青に染まった。外山が夢中で手を叩いた。私も拍手した。スタジアムで火の粉の降り注ぐ中を立ち働く花火師たちのもとまで、届くわけもないが掌が痺《しび》れるほど拍手した。壊れてしまったゼンマイ仕掛けの人形みたいに。

辛《つら》いのは哀しいからではない。思い出があるからだ。忘れられないことが、いつも私を苦しめる。その事実に今さらながら気づき、私は仄《ほの》かに笑った。それでは私はいつまでもこの息苦しさを抱えていくしかないのだろう。だって私は、忘れたくはないのだから。

空には白い煙だけが残り、拍手と火薬の臭いが風に乗って運ばれてきた。

「あーあ、終わっちゃったね」

外山がのけぞって腰を伸ばしながら言った。

「ちょうど酒も終わりだ。なかなか楽しかったな」

ゴミ袋に灰皿がわりの缶を投げ込み、瀬名垣はあたりを確認した。「何も残ってなし、と」

そのとき、遠くではっきりと何かをひっくり返すような音がし、ついで切迫感を煽《あお》るような非常ベルが響いた。びくりと体を震わせ、互いを見る。

「一階北階段前」

目を閉じた後藤が冷静に場所を聞き分けた。彼らの動きは素早かった。瀬名垣が懐中電灯を拾い上げ、一つを後藤に放り投げた。外山がサンダルを脱ぎ、私に押しつける。とまどう私の前で、後藤と外山はフェンスをよじ登り、屋上の縁に立った。

「おいっ、やめなさい、危ない!」

本田は駈《か》けていって屋上の扉を開け放った。

「先生、こっちへ!」

状況判断ができず、ただ言葉に反射的に反応するだけになっていた。背後の二人を気にしながらも、私はまろぶように扉の本田のもとへ走る。

本田は非常ベルに混じって近づいてくる乱れた足音に神経を集中させているようだった。

「一人だ。遅いな。秀郎、もう少し引きつけてから」

瀬名垣はその間に、ゴミ袋にたっぷりと空気を取り込み、残ったもう一つの懐中電灯をしっかりと結びつけつつ袋の口を閉じた。瀬名垣が本田を見た。本田は軽く手を挙げて合図する。

「行け、秀郎。木に引っかかるなよ」

私は外山のサンダルを持ったままの手で口を押さえた。懐中電灯を持ってまず後藤が飛び降り、鈍い水音と同時に外山もためらいなく宙に躍った。また水音がした。

はっきりと聞き分けられるほど近づいていた足音が止まり、

「こら！　何年だおまえら！　待ちなさい！」

とプール側の窓辺から叫んでいるらしい声が聞こえた。

「教頭先生ですね」

本田は淡々と述べた。「わかりやすいな」

私の心臓はすでに最高速度で体中に血を巡らせており、息苦しさと緊張で首と腕の血管がずきずきと痛むほどだった。瀬名垣が声を張り上げた。

「急げ！　逃げ遅れるな！」

その声に反応して、プールに飛び降りた二人を追いかけるべきか逡巡《しゅんじゅん》していたらしい足音が、また屋上の私たちに向かって猛然と走り出した。瀬名垣が鋭く囁く。

「本当に急げ、真志喜」

ゴミ袋を片手にフェンスを越え、下からの風を受けながらこちらを見る。本田は私に早口で言い含めた。

「いいですか、先生。先生は時機を見計らって、『こらぁ、おまえたち！』とでも叫びながら屋上に走り出てください。この足もとにあるがらがらを鳴らしながらね」

言われて初めて、屋上のすぐ手前の廊下に、缶やら鈴やらをつけた紐《ひも》が渡されていることに気がついた。「あとは、適当な教室で花火見物をしていたら屋上に気配を感じ、たったいま駆けつけたところだ、と言えばいい。先生の演技力に期待します」

本田はにこりと笑った。

「本田くん！」

シッと名前を呼ばないよう手振りで指示すると、彼はもう振り返らずに、フェンスの向こう側にいる瀬名垣のもとへと駆けていった。瀬名垣が懐中電灯のついたゴミ袋から手を離す。ゴミ袋は夢の中の光景のようにゆっくりと落下していった。その光を標《しるべ》に、フェンスを乗り越えた本田と、彼を待っていた瀬名垣はほぼ同時に屋上から飛び降りた。私は彼らのつま先がコンクリートの縁を離れる瞬間を、まばたきすらも忘れて見守っていた。幻燈機で映し出された映像のように、彼らの姿は私の脳裏にはっきりと、静止画像の連続として刻み込まれた。それは時の流れの速度を変えるほどの一瞬だった。白い指先がひらりと虚空《こくう》をよぎる。

重なるように水音が起こり、我に返った私はサンダルをズボンのポケットに押し込むと、演出通りの芝居を打った。

……少年はついに私を門扉の内側に招じ入れた。私は喜び勇んで、落ち葉が積もってできた柔らかい庭の土を踏みしめ、ツタの這う重厚な屋敷の煉瓦を掌で確かめた。裏手にある淀んだ池を眺め、こんな陰気なところに少年を放っておくのはやはりよくないなどと嘯《うそぶ》いてみた。少年はそんな私の後を、黙って従順についてまわった。

しかしそれも、日没までのことだった。

日が傾きはじめると、少年は明らかに落ち着かなくなり、なんとか私を門の外へ閉め出そうとした。

「もうすぐ池から影がやってくる」

少年の瞳は雄弁に、その不安と喜びを映し出していた。

私は池を埋め立てて、影の訪れの道を封じてしまおうと何度も言った。そうすればどんなに自由になって、世界が広がるかをとくとくと説いた。しかしどうしても、少年を頷かせることはできなかった。

「ぼくは影から逃れようと思ったことも、影と別れたいと思ったことも、一度もありません」

　私の目の前で平然と鉄の檻を閉めながら、少年は言った。「さようなら、またあした」

　門は閉ざされ、また夜がやってきた。『無窮館』の門灯の、心もとない光がじわりと闇に浸《し》みだした。

『無窮堂』の錆びた門を押し、硝子戸を開ける。

「いらっしゃいませ」

　番台に座っていた本田が、本から顔を上げて声をかけてきた。店内には私の他に客はいない。早足で番台に近づくと、手に提げていた紙袋を差し出した。中を覗いた本田は破顔し、

「みすずに返しておきます」

と言った。「先生、カボチャを食べますか？」

　また曖昧に頷いた。本田は番台から下り、先に立って店を出ると、大木の根本にある菜園へと私を誘った。瀬名垣となにやら言い争っていた場所だ。その光景を見たのは、前世でのできごとのように思えた。菜園には茄子《なす》やトマトやキュウリといった野菜が、野放図にはびこっていた。地面にはなるほど、形は良くないが旨《うま》そうなカボチャが転がっている。

本田は屈《かが》んでカボチャを吟味していたが、新たな客が店に入っていくのを見て、立ち上がって家屋をまわり込んだ。

「瀬名垣、瀬名垣。ちょっと店を頼む」

裏庭があるのか、とぼんやりと思っていると、瀬名垣が姿を現した。彼は私を認めると、

「小説は進んだかい、先生」

といともあっさりと言ってのけた。動揺に立ち竦《すく》む私を後目《しりめ》に、瀬名垣はベルトに挟んであった剪定《せんてい》用の鋏《はさみ》で適当なカボチャを蔓《つる》から切り取ると、無言のままその実を私に押しつけ、店のほうに去っていく。

「よく選びもしないで……これでいいですか？」

本田は心配そうに、私の腕の中のカボチャをこつこつと叩く。

「ああ……ありがとう。これがいい」

いつから知っていたのだろう。内容まで知られているのだろうか。瀬名垣だけでなく、本田も私を利用したのだろうか。さまざまな疑念がダムの一斉放水のように溢れた。溢れて流れ去った後には、夏の一日の記憶だけがすがすがしく残った。

「先生、屋上で気づきましたか？」

本田も同じ時を思い浮かべていたのか、告解《こっかい》するように静かに言った。「僕は……得られなかったものを思い描いてはあがく、卑怯《ひきょう》な人間です。先生は、失われたものをなんら

かの形で取り戻そうとする。でも僕はしない。怖くてできないんです」

「そうかな……もしそうだとしても、それは君が若いから、どうしても取り戻したいと願わずにはおれない喪失を、まだ知らないだけかもしれない」

本田はゆるく首を振った。ちがう、という意味なのか、わからない、という意味なのか、私には判別できなかった。

「こういうことも考えられるよ。君は自分にとって大切なものをよく知っていて、失うことがないように万全の注意を払っている。だから、是が非でも恢復《かいふく》したいような大きななくしものはないんだ」

「……先生、次はどんな話を？」

本田が穏やかに問いかけた。「水に沈んだ先生の村の話、僕は好きでした。あれは書かないんですか」

「そう……そうだな、次かどうかわからない。でも、いつか君たちのことを書こう」

「この夏のことを？」

「いや……君たちのこれからのことを」

本田は笑った。

「そうですね。この夏は僕たちだけの秘密だ。これからを書いてください」

秋の気配を運ぶ風が、大木の梢《こずえ》を激しく揺らした。「できれば……いつまでも一緒に、同じものを見ていられる、そんな未来を」
本田は「誰と」とは言わなかった。言う必要もないことだ。十七歳の夏の、頂点の日。
それがすべてを語っていた。

名前のないもの

文庫書き下ろし

いつものように瀬名垣太一が『無窮堂』を訪れたとき、本田真志喜は番台に座って頬杖《ほおづえ》をつき、考えごとをしているようだった。

「よう、真志喜」

と声をかけると、

「なにか用か」

と素っ気なく返される。

「おいおい、早くもボケたんじゃねえのか？　今日は神社の祭りに行くって言ってただろ。鳥居のところでいつまで待っても来ないから、迎えにきたんだよ」

「ああ、そうだっけ……」

真志喜は、明らかに心ここにあらずといった感じで立ち上がった。「母屋の戸締まりをしてくる」

瀬名垣は店内を見回し、棚を確認した。真志喜がこんなふうにぼんやりするのは、たいてい、納得のいかない商いをしたときなのだ。

真志喜の愛する古本たちは、わずかな埃《ほこり》のにおいを纏《まと》わせながら、今日もひっそりと棚に並んでいた。変わった様子は特にない。ただ、棚が少しすいているようだ。本の補充や入れ替えをきちんとする真志喜にしては珍しい。瀬名垣はポケットから煙草を取り出し、火をつけないまま一本くわえた。

やがて真志喜が母屋から戻ってきた。瀬名垣の煙草にも気づかずに、「待たせた。行こうか」と下駄《げた》を履く。これはやはり尋常ではないぞ、と瀬名垣は思った。

夕暮れの道を連れ立って歩く。瀬名垣は真志喜のほうに煙が行かないよう、半歩遅れた位置から尋ねた。

「なんかあったのか？」

真志喜がちょっと振り返る。瀬名垣はほとんど条件反射で、かがんで地面で煙草を消し、パラフィン紙で手製した小さな封筒に吸い殻を入れた。これでもう文句はないだろうと、真志喜の横に並ぶ。

「本を愛するひとは」

と、真志喜は話しはじめた。「所有欲が強いんだそうだ」

「うん？」

「おまえ、そういう自覚があるか？」

「……どうかな」

なにかを試されてるのか？　とわずかに動揺しながら、瀬名垣は答えた。

「私はある」

と真志喜は言った。「本当はすべての本を店に留《とど》めておきたいところだが、本の幸せを願って、断腸の思いで売りに出しているんだ。『すごく女性が好きなのに置屋の主人になってしまった男』みたいな気持ちだ」

「あのな。そのたとえは、なんか違うと思うぞ」

と、瀬名垣は言った。「そしておまえはいったい、なにを言いたいんだ」

二人のあいだに、しばらく沈黙が落ちた。雑木林の周辺には薄闇が漂い、その向こうから、提灯《ちょうちん》の赤い火と物悲しくも華やかな祭囃子《まつりばやし》が、かすかに透けて届く。ぬるい空気は、肌に触れるとそのままじっとりとした汗に変わった。

真志喜は小さくため息をつき、意を決してことの次第を語りだした。

「『無窮堂』に、よく本を売りにくる男がいるんだ。四十代ぐらいかな。いつもパリッとした服を着ている。うちで本を買っていくことはないが、持ってくるものは面白くて変わった本ばかりだ」

「いいお得意さんだな」

「ああ。私は高い値で買っていたよ。だけどこの前、気づいてしまったんだ。そのとき男が持ってきた十五冊の本が、神田の『古書飛鳥《あすか》』の棚に並んでいたものと、そっくり同じだってことに」

「……どういうことだ」

瀬名垣は真志喜の表情をうかがった。真志喜はうつむきがちに、下駄の音を響かせた。

「『古書飛鳥』で買った本を、うちに売りにきたんだろう。私はすごく好意的に、そう考えることにした。棚一段に並んでいる本を、ごっそり十五冊も買うなんてことはほとんどあり得ない、とわかっていたのに」

「そいつは、盗んだ本を売りさばいていたんだな？」

「そう。今日もその男が本を売りにきた。私はなにくわぬ顔で買い取りをし、その後、店内を見てまわっている男を注意深く監視した。男は棚の陰で手早く、うちの本を黒い布の袋に十冊ばかり詰めこんだよ」

「酷《ひど》いな、そりゃ」

瀬名垣は憤りを鎮めるために、再び煙草を吸うことにした。真志喜も今度ばかりはそれを黙認する。

「ほうぼうの古本屋で本を万引きして、それを別の古本屋に売って暮らす、か。いじましくて汚い手を使いやがる。真志喜、そいつをどうした。警察に突きだしたのか？」

真志喜は首を振った。

「私は番台から下りていって、本を棚に戻すように言ったよ。それから、二度と来ないでくれと店から放り出した」

「甘いんじゃねえの」

「明日、市《いち》に行ってみんなにその男の人相風体を伝える。たぶん偽名だろうけれど、彼が台帳に記入した名前と住所も。これで、少なくとも関東では、彼は『商売』できなくなるだろう」

狭い業界だ。店についてでも客についてでも、悪い噂はすぐに広まる。古書を物としてしか扱わなかった男は、古書の世界から逆襲を受けるのだ。永遠に閉め出され、甘い蜜《みつ》を吸うことは二度とできなくなる。

「私が衝撃を受けたのはね、瀬名垣」

真志喜はひそやかに言った。「男の本性を見抜けず、まんまと騙《だま》されていたということもちろんあるけれど、それ以上に、うちの本が袋に詰めこまれるのを見た瞬間、すごく傷ついたんだ。傷ついた自分に、とても驚いた」

瀬名垣は煙を吐き、煙草を持たないほうの手で、真志喜の背中を軽く叩《たた》いた。

「傷ついて当然だろ。おまえの大切にしている本が盗まれるところを、目撃しちゃったわけなんだから」

「『無窮堂』にある本は、正確に言えば私の本じゃない。ふさわしいひとの手に渡るまで、私が預かっているだけだ。いつも自分にそう言いきかせていたはずなのに、いつのまにか愛着を抱いてしまっている自分に気づいて、愕然《がくぜん》とした」

「どうにも、本に囚《とら》われてるからなあ、おまえも俺も」

瀬名垣は苦笑いした。

神社の鳥居が見え、砂が鳴るような人々のざわめきが聞こえだした。鳥居の手前に設置された赤い灰皿に、瀬名垣は吸いさしをつっこむ。

「ほら、みすずちゃんのご登場だ」

人でごった返す参道から、外山みすずが駆け寄ってくる。彼女の後ろには、焼きそばやらリンゴ飴《あめ》やらヨーヨーやら射的の景品やらを両手に持った秀郎が、うやうやしく付き従っていた。

「真志喜ちゃん、遅ーい。なにしてたの。たいっちゃんが呼ばないと動かないんだから。そのうち古本と一緒にあの店で土になっちゃうよ?」

まさか祭りに行く約束自体を忘れていたとも言えず、「ごめん、お客さんが引かなくて」と真志喜は謝った。

みすずは真志喜の腕を引っぱるようにして、屋台の建ち並ぶ参道へ導いた。

「真志喜ちゃん、金魚すくい得意でしょ? 赤くて可愛いのがいるのよ。秀郎は出目金ばかり狙っちゃって駄目なの」

「やりたくないな。金魚屋のおやじが首をくくりかねない」

「しょってるわね」

みすずは笑った。「リンゴ飴をあげるから、やってちょうだい」

秀郎がすかさず、真志喜にリンゴ飴を差し出す。赤い果実を砂糖で封じこめた菓子を、真志喜はしぶしぶ受け取った。

「ほらほら、早く！」

半ば小走りになったみすずを、秀郎が追う。真志喜と瀬名垣は屋台を覗《のぞ》きながら、二人の後をゆっくりとついていった。

「今夜、泊まっていってもいいか？」

おもむろに、瀬名垣が真志喜に尋ねた。真志喜が、「いいけど」と答えると、彼はさっそく屋台でカップの日本酒を買った。思う存分飲むことにしたのだ。

「実はな、真志喜。俺はさっき、ちょっと嘘をついた」

「どんな？」

「所有欲も愛着も、本当はものすごくあることを自覚してる。いつまでだって撫《な》でくりまわしてじっくり味わいたいし、だれにも渡すもんかと、いつもいつも思ってるんだ」

ちょうどリンゴ飴をかじっていた真志喜は、甘さのためか、眉《まゆ》を寄せた。

みすずが、「ねえ、見て」と呼ぶ声がした。

「月が出てる！」

見上げると、空には白い真円が浮いていた。

さざめきと熱気、食べ物のにおい、夜のはじまりに溶けていく笛の音。そして、それらの中に等しく身を預けている、近しいひとたち。

名づけられない大切なものが、そこにはたしかにあった。

しばし立ち止まって月を眺めていた真志喜は、しかめっ面を作って瀬名垣に視線を戻した。

「で、いまのはなんの話だ?」

と、真志喜は聞いた。瀬名垣は笑った。

「まだまだ修行が足りないって話さ」

月魚によせて

あさのあつこ

月の夜をご存知だろうか。街灯も窓から洩《も》れる明かりも無い、空にただ月だけが浮かぶ夜の中をほとほとと独り、歩いたことがおありだろうか。わたしは、たまに歩く。独りではなく、闇色の毛をした犬といっしょにだが。川土手から山へと続く道をほとほとと、わたしは二本足で、犬は四本の足で、昼間よりも少しうなだれて無言のままに歩くのだ。月の光は季節にかかわらず冷え冷えと青く、闇は密《ひそ》やかに呼吸を繰り返す。光は光として、闇は闇として決して相容《あいい》れぬまま生きている世界は、真昼の風景とは明らかに異質のそれだ。

物語というものと、よく似ている。とてもよく似ている。

現実の傍らにありながら、現実と表裏になりながら、物語は現実とはまったく異なる世界を持つ。だからこそ、現実を抉《えぐ》り、穿《うが》つこともできると、わたしは信じている。すぐれた物語とは、すぐれた独自のどことも相容れない世界を有するものなのだ。小ざかしい批評や解説を超えて、時には安易な共感さえ拒んで、ただ一つ、孤として立つものなのだ。『月魚』を読み終えたのは、冬の終わり、午後三時をわずかに回ったころだった。山間《やまあい》の町では、午後三時の陽光はすでに夕暮れのものとなる。弱々しく赤い。それでも珍しく晴れ上がった空はまだ充分に青く美しかった。鳶《とび》が舞っていた。庭木の枝にさした林檎《りんご》をついばみに、メジロが来ていたのを覚えている。そう、日差しは淡く、空は青く、鳥たちは忙《せわ》しげに生きていた。

しかし、わたしの目交《まなか》いに浮かんだものは、『月魚』という一冊を閉じたとき、わたしが観ていたものは、まぎれもなく月の夜の風景だった。冷え冷えとした青い密やかな世界。静寂の中に深く潜んだ熱情の世界。ぞくりと背中に震えがきた。

『月魚』は、決して激しい物語ではない。読み手に、固唾《かたず》を呑《の》むことも、号泣することも、笑い転げることも、爽快《そうかい》な気分にひたることも、強いはしない。そんなものとは無縁にひっそりと傍らに立つ。そういう物語だ。だからこそ、震えがくる。読み終えて、眼前の風景が揺らぎ、異質のものがゆっくりと現れる。ほとんど恐怖に近い甘美な感情に、わたしは、浅い息を繰り返す。

わたしの凡庸で単調な生活の傍らに、こんな世界が潜んでいたのかと、動悸《どうき》がし、呼吸が少し苦しくなる。それは、むろん、妖《あや》かしだ。三浦しをんという書き手の紡ぐ物語に搦《から》め捕《と》られ、現実と物語の境が決壊しようとしている。寡黙なくせに強力《ごうりき》な作品だ。つくづく、そう思う。

――その細い道の先に、オレンジ色の明かりが灯《とも》った。

古書店『無窮堂』の外灯だ。瀬名垣太一は立ち止まり、煙草に火をつけた。夕闇が迫っている。道の両側は、都心からの距離を考えれば今どき珍しい、濃縮された闇を貯蔵する雑木林だ。街灯はあるが、それも木々に覆い隠されている。瀬名垣の訪れを予知したかのごとく、『無窮堂』の灯りは薄暗い道を淡い光で照らした――

坂の上にぽつんと灯る明かり。夜の始まり。闇の気配。何気なく読み進める最初のページから、読み手はすでに、誘い込まれる。罪を抱え、想いを抱き、坂を一歩一歩登っていく瀬名垣とともに、美しい若者と古書と謎の待つ物語世界に、否応《いやおう》なく引きずり込まれる。最初のこの数行が、緻密《ちみつ》な計算によるのか、感性のままに現れ出《い》でたのか、わたしなどには計り知れない。計算であれば怖《お》じるべき、感性であればさらに畏怖《いふ》すべき、力業だ。

夜のとば口で始まり、白く発光する月下の庭に終わる「水底の魚」にしろ、主人公の二人、瀬名垣太一と本田真志喜の一七歳の一時を垣間見せる《かいまみ》「水に沈んだ私の村」にしろ、さらりと読めば、不思議な雰囲気の漂う美しい物語とも、若者の生きなおしの物語とも解《か》いせるかもしれない。しかし、ちがうのだ。あきらかにちがう。

確かに、『月魚』は問うてくる。

人は、罪を背負うたまま他者を愛することができるのか。求めてもいいのか。許しを請うことも、償うこともできないまま、なお欲しいと疼《うず》くものをどうすればいい。諦《あきら》めるのか、耐えるのか、切り捨てるのか、殺すのか……それとも……

瀬名垣と真志喜はまさに月の夜の光と影だ。古書店という大多数の者にとって、決して一つになれない。求めながら拒み、拒みながら望む。共に並びながら、なじみのない、だからどことなく心惹《ひ》かれる舞台で、二人の若者が、相手ではなく自分と闘い続ける物語は、観客である読み手に、若さとか生きるとかの根源にある問いかけを決して声高でなく、むしろ耳を澄まさねば聞き取れないほどの音量で、囁《ささや》きかけてくるではないか。問うことは、文学の為《な》せることの一つだ。答えを出すことではない。ただ真摯《しんし》に時にはおろおろと切なく問いかけることが、それだけが為せることなのだ。

三浦しをんは、そのことを知っている。だから、ここに若い問いかけの物語がある。それは、やはり見事な仕事だと言うしかない。

ただ、わたしがちがうと感じるのは……なんだろう、上手《うま》く表せない。わたしの情動を刺激する、『月魚』の力、夕暮れの風景に夜を浮き上がらせる力、それをうまく表せない。

この作品世界から立ち昇るものが、わたしの表現能力を軽々と超えていく。春の闇のように、芳香だけを残してするすると指の間から逃げていく。それを捉《とら》え、あえて言葉に嵌《は》めていくことが必要だろうか。深く息をつき、目を閉じる。

ああ、やはり月の夜だ。

この寂寞《せきばく》。この官能。

昼の世界では決して得られない、熱く冷えた魂の語り。

それは、闇の中に瀬名垣が見るだろう白い裸身だろうか、月に向かい跳躍した魚の独りで生き続けた心だろうか。

『月魚』は魂を持つ本だ。それは、どこまでも熱く、どこまでも冷えていく。人の魂の不可思議さに戸惑いつつ、畏《おそ》れつつ、やがて、読み手はこの一冊に捉えられていく。わたしには、そうとしか言えない。

魚の跳んだ庭に背を向け、障子を閉め、二人は向かい合った。そこからまた、何が始まるのか、どのような魂の物語が生み出されるのか、黙して見つめるしかないのだ。

本書は平成十三年五月、角川書店から刊行された
単行本に書き下ろしを加え文庫化したものです。

月魚《げつぎょ》

三浦《みうら》しをん

角川文庫 13349

平成十六年五月二十五日 初版発行
平成十八年八月二十五日 九版発行

発行者——井上伸一郎
発行所——株式会社角川書店
東京都千代田区富士見二—十三—三
電話 編集(〇三)三二三八—八五〇六
営業(〇三)三二三八—八五二一
〒一〇二—八一七七
振替〇〇一三〇—九—一九五二〇八
印刷所——暁印刷 製本所——本間製本
装幀者——杉浦康平

み 31-2 ISBN4-04-373602-9 C0193

角川文庫発刊に際して

角川源義

第二次世界大戦の敗北は、軍事力の敗北であった以上に、私たちの若い文化力の敗退であった。私たちの文化が戦争に対して如何に無力であり、単なるあだ花に過ぎなかったかを、私たちは身を以て体験し痛感した。西洋近代文化の摂取にとって、明治以後八十年の歳月は決して短かすぎたとは言えない。にもかかわらず、近代文化の伝統を確立し、自由な批判と柔軟な良識に富む文化層として自らを形成することに私たちは失敗して来た。そしてこれは、各層への文化の普及滲透を任務とする出版人の責任でもあった。

一九四五年以来、私たちは再び振出しに戻り、第一歩から踏み出すことを余儀なくされた。これは大きな不幸ではあるが、反面、これまでの混沌・未熟・歪曲の中にあった我が国の文化に秩序と確たる基礎を齎らすためには絶好の機会でもある。角川書店は、このような祖国の文化的危機にあたり、微力をも顧みず再建の礎石たるべき抱負と決意とをもって出発したが、ここに創立以来の念願を果すべく角川文庫を発刊する。これまで刊行されたあらゆる全集叢書文庫類の長所と短所とを検討し、古今東西の不朽の典籍を、良心的編集のもとに、廉価に、そして書架にふさわしい美本として、多くのひとびとに提供しようとする。しかし私たちは徒らに百科全書的な知識のジレッタントを作ることを目的とせず、あくまで祖国の文化に秩序と再建への道を示し、この文庫を角川書店の栄ある事業として、今後永久に継続発展せしめ、学芸と教養との殿堂として大成せんことを期したい。多くの読書子の愛情ある忠言と支持とによって、この希望と抱負とを完遂せしめられんことを願う。

一九四九年五月三日

角川文庫ベストセラー

いやいやプリン　銀色夏生

人が楽しそうなのがいやで、ついいじめてしまうプリンくん。ある日溺れていたところをタコくんに救われて〝悟り〟気分になるのだが……。

ケアンズ旅行記　銀色夏生

気ままな親子三人が向かったのはオーストラリアのケアンズ！　青い海と自然に囲まれて三人は超ゴキゲン。写真とエッセイで綴るほのぼの旅行記。

どんぐりいちご くり夕焼け
つれづれノート⑪　銀色夏生

島の次は、山登場!?　マイペースにつづる毎日日記。人生は旅の途中。そして何かがいつもはじまる。人気イラスト・エッセイシリーズ第11弾！

壺中の天国　倉知淳

静かな地方都市で起きる連続通り魔殺人。犯行ごとにバラ撒かれる自称「犯人」からの怪文書。果たして犯人の真の目的は？

六道ヶ辻
大導寺一族の滅亡　栗本薫

平安時代から連綿と続く一族、大導寺家。その末裔・静音は奇妙なノートを見つける。そこには一族を滅ぼしかけた殺人鬼の存在が記されていた!!

六道ヶ辻
ウンター・デン・リンデンの薔薇　栗本薫

廃校となった女学院から発見された大正時代のものと思われる二体の白骨死体。それは、呪われた血が招いた恐るべき結末だった……。

六道ヶ辻
大導寺竜介の青春　栗本薫

連続猟奇殺人者「赤マント」との対決の中でもつれる大導寺竜介と幼なじみの藤枝清顕、一乗寺忍の青春と恋。それはやがて、破滅的結末へと……。